KB076604

ONE

10년 속에서 피어난 ONE

———————————

김일석

김일석

삼성을 퇴직하여 부동산 중개업 20년 경력과 기계공학, 행정학, 아주경영대학원 졸업하여 다양한 경험을 토대로 현재 수원시청 행정종합센터 부동산 전문상담위원으로 활동하고 있습니다. 2016년 하반기부터 비트코인과 ONE 지불수단을 공부하면서 암호화폐의 꽃은 ONE이며, 장기적인 관점에서 ONE을 투자하는 것은 규제와 세금 측면에서 유리하다고 확신합니다. (부자가 되고 싶다면 집 대신 땅을 사라)를 (평범한 직장인을 부자로 이끄는 소액 토지 투자의 비밀)이라는 제목으로 다시 출간하여 개정판을 출간하였습니다. 금번 원에코시스템을 출간하면서 독자들에게 전달할 때 전달하고 싶은 메시지가 있었습니다. 투자는 마인드가 중요합니다. 투자를 하려면 모험심도 필요하고 믿음과 용기, 결단력도 있어야 합니다. 일희일비하지 않고 장기적인 관점에서 미래가치를 볼 줄 알아야 투자에 성공할 수 있기 때문입니다. 사실 투자로 큰돈을 벌어 부자가 된사람들에게는 조금 특별한 능력이 있습니다. 인내하고 기다릴 줄 아는 능력입니다.

세계 경제 상황과 시장의 흐름을 대관소찰하는 접근 방법은 부자가 되는 길을 안내해주는 나침판 역할을 할 수 있습니다. 하지만 결실을 보기까지는 때를 기다릴 줄 아는 인내심이 무엇보다 필요합니다. 조급한 투자는 반드시 역효과를 가져오며 시장은 그런 투자자에게 단기적인 수익을 약속해 주지 않습니다. 그렇다면 인내심을 가지고 투자를 하면 누구나 성공적으로 무조건 투자를 할 수 있다는 것은 아닙니다. 자본주의 사회에서 투자할 곳은 너무나 많습니다. 하지만 좋은 투자처는 생각보다 많지 않습니다. 그것이 투자의 속성이기도 합니다. 투자를 하기 전에 투자 자산의 종류를 살펴보고 안전성과 수익성을 고려한 투자처를 선택하는 일이 무엇보다 중요합니다. 비트코인 출현의 본질과 ONE 탄생목적은 거래수단이 되기위한 것입니다. 상품을 효율적으로 거래하고 전통금융의 비효율적인 아날로그 형식의 금융을 디지털 암호화폐로 화폐와 금융혁명을 목표로하고 있습니다. 또한 그레이트 리셋을 통하여 인류의 안정속에 지속가능한 성장을 이루기 위한 원대한 꿈을 가지고 있습니다.

그 원대한 큰 꿈으로 인류의 지속가능한 경제 시스템을 구축하는데 원에코시스템은 큰 기여를 할 것으로 기대하고 있습니다. 새로운 미래의 시작이 2024년 3월 22일~24일 말레이시아 페낭 세계대회가 될것입니다. 한번도 가보지 않은 길을 도전하고 있습니다. 길을 아는 것과 그 길을 걷는 것은 다르다는 것을 우리는 다시 한번 경험하게 될 것입니다. 그 길의 끝은 그 누구도 가보지 않은 길이기에 가슴이 설레이고 열정과 도전의 정신으로 나아가기를 기대하겠습니다. 물들어 올 때 배를 띄우라는 속담은 바로 이 순간입니다.

10년 속에서 피어난 ONE
ONE

김일석 지음

CONTENTS

들어가는 글

이 프로젝트를 시작한 지 9년, 올해로 10년째입니다.

많은 사람들이 이 프로젝트가 9년 이상 계속되어 왔는데 아직도 끝은 보이지 않는거냐고 묻습니다.

우리의 목표가 얼마나 큰 것인지 이해할 필요가 있습니다. 한 발짝 한 발짝씩 나아가야 하고 신중해야 합니다. 한 걸음이라도 잘못 디디면 이 프로젝트를 망칠 위험이 있기 때문입니다.

우리는 운이 좋게도 아주 오랫동안 준비되어 온 프로젝트에 참여하고 있습니다.

한 가지 예로, 우리 웹사이트의 도메인만 하더라도 2003, 2004년에 구입된 것입니다. 프로젝트의 준비 관계로 2014년에야 세상에 나온 것이지요. 우리의 목표는 장대한 것이고, 세계적인 결제 수단이 되는 것입니다.

그러한 프로젝트에 10년은 결코 길지 않습니다. 우리는 그 점을 이해해야 하는데, 이해하게 되면 프로젝트가 어떻게 진행되어가고 있는지에 대해 큰 안도감을 느낄 것이라고 봅니다.

우리는 글로벌 결제 수단이 되고자 하며, 어느 정당이나 누구에게도 의존하지 않습니다. 우리만의 길을 가고, 우리만의 독자적인 가치를 창출함으로써, 혹여 은행이나 금융기관이 우리를 받아들이지 않는다 하더라도 민중이 함께 사업을 해갈 수 있다는 것을 보여주려고 합니다.

많은 암호화폐가 글로벌 결제 수단이 되는 것을 목표로 만들어졌지요. 비트코인도 그러했지만, 비트코인은 아직까지 결제수단이 되지 못하고 있습니다. 다른 많은 암호화폐가 2015년과 2016년에 우리가 하는 일을 모방하려고 시도했지만, 2019년에는 따라올 수 없었고, 모든 암호화폐가 방향을 바꾸거나 경쟁에서 완전히 탈락했습니다.

2019년에 우리는 잠시 멈춰서서 우리가 하고 있는 일을 검토했는데, 그럴 수 있는 여유가 우리에게는 있었다지만, 그때까지 우리를 모방하고 있던 많은 경쟁자들은 경주를 그만두거나 방향 전환을 해야만 했습니다.

그리고 2021년, 우리의 ONE은 변화하기 시작했는데 먼저 블록체인을 1200억 개에서 2500억 개로 변경했습니다. 왜 회원들이 이

업그레이드 과정에서 아무것도 얻지 못했는지 의아해 하는 사람들이 있었습니다. 업그레이드된 양을 회원들 사이에서만 나누게 된다면 외부 사람들에게는 기회가 주어지지 않는다는 점을 이해하지 못한 것이지요. 커뮤니티 내에만 머물러 있게 되니까요.

"빨리 가고 싶으면 혼자 가면 된다. 하지만 더 멀리 가고 싶다면 다른 사람들과 함께 가야 한다"는 말이 있습니다.

이것이 바로 회사가 수량을 업그레이드한 이유입니다. 우리는 앞으로 비즈니스 파트너들을 보게 될 것입니다. 분명히 존재하지만, 그들이 누구인지는 때가 되면 알게 될 것입니다.

그리고 2023년 2월, 우리는 프라이빗에서 퍼블릭 블록체인, 폴리곤 네트워크로의 확장을 시작했습니다. 이것은 우리의 ONE을 세상에 내놓을 수 있는 최고의 관문이라고 할 수 있습니다. 퍼블릭 네트워크로의 배포로써 정보에 쉽게 접근할 수 있게 되었습니다. 총 1000억 개 이상의 ONE을 보유한 비즈니스 파트너들이 있다는 것도 알 수 있습니다.

작년 다낭행사를 시작으로, 베트남 회원들의 계정이 우선적으로 제일 먼저 배포되었었는데, 그 전에 이미 1000억 개의 ONE이 폴리곤의 퍼블릭 블록체인에 존재하고 있다는 것을 볼 수 있었어요. 그들이 바로 ONE의 절반을 보유하고 있는 사람입니다. 그들의 책임은 우리의 ONE이 더 많은 가치를 얻을 수 있도록 돕는 것이라고 할 수 있습니다.

다음과 같은 비유로 이해하기 쉽게 설명을 드리자면, 예를 들어, 당신의 할아버지가 땅을 가지고 있고 그곳에서 농사를 짓고 있다고 가정해 봅시다. 그것을 아버지가 물려받아 농사를 짓고, 다시 당신이 물려받아 계속 농사를 짓습니다. 그러면 그 땅은 영원히 그냥 농지일 뿐입니다.

그런데 그 땅에서 농사를 짓는 대신, 사업 파트너나 도시, 학교, 쇼핑몰을 짓는 정부에 제공한다면 어떨까요? 결과적으로는 주변 땅의 가치가 오르면서, 당신의 땅도 가치가 올라갈 것임에 틀림없습니다. 이것이 우리가 2500억 개 ONE으로 업그레이드한 이유이며, 더 많은 가치 있는 파트너를 확보할 수 있는 가장 좋은 방법, 그리고 우리와 함께 길을 갈 수 있는 사람들을 확보할 수 있는 방법이라는 것을 이해해 주셨으면 좋겠습니다. 우리의 ONE이 만약 금융기관을 통하지 않고, 파트너들과 연결되어 있지 않다면 지금의 우리는 없었을 것입니다.

예전에는 인터넷에서 ONE을 검색해도 아무런 정보도 나오지 않고, 부정적인 내용들만 눈에 들어왔었지요. 하지만 지금은 폴리곤 OES로 검색해 보면 우리가 많은 거래소(Exchange)에 존재(present)하고 있다는 것을 알 수 있습니다. 구체적으로는 세계에서 가장 큰 암호화폐 거래소 10곳 중 8곳입니다.

이전에는 신뢰로 이 네트워크에 참여했다고 한다면, 이제는 관심 있는 사람들에게 구체적인 정보를 보여줄 수 있게 되었습니다. ONE이 거래소에 상장되어 있는지 묻는 사람들이 많이 있는데, 그들은 정보를 업데이트하고 있지 않는 겁니다. 보통 암호화폐가 공개되면 거래소에 상장하는 것이 일반적이지만 우리의 목표는 글로벌 결제 수단이 되는 것이기 때문에 독자적인 길을 걷고 있습니다. 또한, 고정된 가격의 통화이기 때문에 수요와 공급, 매매 과정의 변화에 따라 가격이 변동하지 않습니다.

몇 년 만에 회사가 백서를 새로 발표했는데 백서는 가이드이고 참고 자료입니다. 백서에 기재된 모든 것을 실행하는 것이 비즈니스 세계의 규칙인데, 지금 자신 있게 말할 수 있는 것은 우리가 백서에서 말한 것의 95% 이상을 달성하고 있다는 것입니다. 그런 것은 중요하지 않다고 말하는 사람들도 많습니다. 단지 ONE에 가치가 있고, 법정화폐로 교환할 수만 있으면 된다고 말입니다.

물론 완전히 틀린 말은 아니지만, 그들은 전체 그림을 보지 못하고 있습니다. 우리가 목표로 하는 것은 세계적인 결제 수단이 되는 것인데, 만약 회사가 정말 우리의 ONE이 어떻게 되든 상관하지 않았다면, ONE을 거래소에 상장해 놓고 공개적으로 거래할 수 있도록만 해주면 되었겠지요. 그렇게 회사로서의 역할이 끝날 수는 있겠지만 그렇게 되면 가치가 없는 암호화폐만이 남게 되었겠지요.

2023년 9월, 회사는 전환 풀(DSP)의 가동을 시작했습니다. 처음 발표되었을 때, 3단계에 걸쳐서 실행된다고 분명히 명시되어 있었고요. 첫 번째 단계는 12개월 동안 적극적으로 활동하며 회사가 설정한 기준을 충족한 가맹점만을 대상으로 합니다.

일반 회원이 이 첫 번째 단계에 들어가기 위해서는 새로운 사람들을 네트워크에 초대하고, 가맹점과 협력하여, DS 플랫폼 사용을 지원하는 적극적인 회원이 되어야 하는데, 2014년의 네트워크나 2021년 리브랜딩 후의 네트워크도 마찬가지입니다. 한 가지 분명한 것은 큰 기여를 하고 프로젝트 발전에 기여한 회원들이 더 우대받는다는 것입니다.

어떤 이는 신규 회원인데 왜 먼저 온 우리보다 먼저 혜택을 받는지 그 이유를 묻는 것 또한 옳지 않습니다. ONE을 가지고만 있지 활동은 안 하는, 그런 사람이 많으면 많을수록 우리 프로젝트는 더 이상 앞으로 나아가지 못할 것입니다. 전 세계의 회원들에게 있어서 이것은 기본적이고 매우 중요한 일입니다.

새로운 사람들을 네트워크에 참여시킬 수 있다면 우리의 ONE이 화폐가 될 것이라고 말한 바 있습니다. 이제 우리는 마지막 단계를 마무리하고 새로운 회원들을 더 많이 영입하려고 합니다. 프로젝트 진행을 돕기 위해 노력하는 사람들은 혜택을 받을 수 있습니다.

백서에 나와 있는 만큼의 성과를 충분히 이루지 못했다고 말하는 사람들도 많지만 90% 이상을 해냈다고 저는 생각합니다. 99퍼센트는 이루었다고 개인적으로 생각합니다.

컨버전스 풀에 대해서는 매우 명확합니다. 때가 되면 원하는 만큼 ONE을 교환할 수 있게 됩니다. 수요와 공급에 영향을 받지 않는 고정된 가격으로 말이죠. 때가 되어 자유롭게 환전할 수 있게 되면 자국 통화나 USD, Euro 등등으로 환전할 수 있게 됩니다. 컨버전 풀에 대한 안내를 보면, 전 세계 99%의 통화가 컨버전 풀에서 취급된다고 명시되어 있습니다. 왜 99%일까요?

아직 진출하지 않은 마지막 시장이 있습니다. 미국입니다. 현재 우리는 법적 허가를 받아 미국 시장을 개척하기 위해 노력하고 있습니다. 미국 시장이 우리 생태계에 들어오지 않고 있더라도 미국 달러를 문제없이 사용할 수는 있습니다. 일시적으로 미국 시민권자들이 계정을 개설할 수 없는 기간이 있었지만, 현재는 계정개설과 퍼블릭 블록체인으로의 배포도 가능합니다. 가까운 시일 내에 완전히 합법화될 것이라고 생각합니다.

DS(Dealshaker)는 생태계의 핵심 부분입니다. 우리는 DS를 세계 최고의 최첨단 전자상거래 플랫폼으로 만들기 위해 노력하고 있고, 암호화폐도 세계 최고의 암호화폐를 목표로 만들고 있습니다. 고정 가격을 설정하고 있어, 공인된 회사가 허락하지 않는 한 변경할 수 없는데, 이는 암호화폐 세계에서 전례가 없는 일입니다.

조만간 완전히 새로운 DS 플랫폼을 도입할 예정입니다. 현재 플랫폼 업그레이드 중인데, 새로운 DS 플랫폼은 Bitpay와 Coinpay라는 두 개의 큰 지갑에 연결할 수 있습니다. 전 세계 어떤 전자상거래 플랫폼도 아직 암호화폐와 통합하지 못 했지만 우리는 그렇게 할 계획입니다. 현재 오픈 시기를 기다리는 중입니다.

ONE Voyage는 6월 전후, ONE Forex는 9월전후에 자세한 정보를 기대할 수 있을 것입니다.

우리는 전 세계적으로 투명하고 공정한 결제 수단이 되고 싶습니다. 퍼블릭 블록체인으로 마이그레이션 또는 배포되지 않은 ONE의 경우, 계정에서 볼 수는 있겠지만, 어떤 거래도, 구매도, 전송도 할 수 없습니다. 결국 무가치한 존재가 되는 것입니다. 알기 쉽게 말씀드리지요. 배포기간이 끝난 시점에, 가령 전체 2500억개 중에서 2,000억 개의 ONE이 마이그레이션되고 500억 개가 마이그레이션되지 않는다면, 마이그레이션 안 된 500억 개의 ONE은 유효하지 않고 무가치하다고 보고될 것입니다. 최종 보고서에 총2,000억 개의 ONE이 존재한다고 보고한다는 것입니다.

우리의 ONE은 이제 안전하다고 저는 생각합니다. 남아 있는 유일한 리스크라면 계정을 이전하거나 배포하지 않는 사람들입니다. 마이그레이션 기간이 끝난 후에, 회사가 자기의 (배포하지 않은)ONE의 사용을 허용하지 않는다면 회사를 고소하겠다고 말하는 사람들이 있는데, 어떻게 그럴 수 있냐고 묻고 싶습니다. 회사는 어떤 일이 일어나기 전에 아주 오랜 시간 동안 명확하게 설명해 왔습니다. 그리고 회원가입할 때 모두가 동의한 약관 내용이 있는데, 이를 어기면서 어떻게 회사를 문제삼을 수 있단 말입니까?

많은 사람들이 공동구매했던 파워팩 분배 문제가 지금도 미해결 상태로 이어지고 있는 것을 현재 목격하고 있습니다. 처음에 회사는 ONE을 옮기는 데 수수료를 전혀 받지 않는 기간을 주었습니다. 많은 사람들이 그 기간 동안 분배해야 할 사람들에게 분배하지 않았습니다. 그래서 회사는 원하는 만큼 ONE을 옮길 수 있도록 하기 위해 30유로를 부과했는데, 그래도 아무도 움직이지 않았지요. 그 후 회사가 60유로를 청구하기 시작했을 때 사람들은 너무 비싸다고 말했고, 새로운 가스 시스템을 도입했을 때도 너무 비싸다고 말합니다. 이젠 가스요금도 더 비싸지고 여전히 움직이지 않는 사람들은 움직이지 않습니다. 그들이 저렴할 때 옮겨갔더라면 지금과 같은 상황은 없었을 것입니다. 회사의 말을 듣지 않은 그들의 책임입니다.

회사가 한 발짝 움직이면 우리도 한 발짝 움직여야 합니다. 만약 당신이 움직이지 않았다해도 회사는 한 발짝 더 앞으로 나아

들어가는 글

갈 것이고, 당신은 뒤처지게 될 것입니다. 우리는 회사와 보조를 맞춰 함께 나아가는 것입니다.

회사가 추진하는 일에 대해, 그게 필요에 의한 것이 되었든, 합법적인 일이든, 어쨌든 본인이 관심이 없다고 해서 회사의 말을 거스르는 것은 옳지 않습니다. 회사의 말을 따르지 않고 귀를 기울이지 않으면 손해를 보는 것은 우리 자신입니다. 예전에 많은 리더들이 떠나갔을 때 왜 회사가 두려워하는 기색도 없고, 신경도 쓰지 않는지 궁금하게 생각했던 적이 있습니다. 이제 그 이유를 알것 같습니다. 회사는 단순히 신경쓰지 않는다는 것입니다. 리더가 없어도, 리더가 있어도, 회사는 목표에 도달하기 위해 갑니다.

베트남에는 수십 명의 블랙다이아몬드와 블루다이아몬드가 있지만, 현재까지 네트워크에 남아 있는 사람은 몇 안 됩니다. 회사는 건재합니다. 왜냐하면 당신이 이 회사를 돕지 않더라도 다른 누군가가 도와줄 것이기 때문입니다. 회사는 여전히 열심히 일하고 있고, 당신이 없어도 발전하고 있습니다. 요컨대, 우리는 결국 우리 자신의 부를 위해 일하는 것입니다.

우리의 ONE이 3개의 암호화폐 지갑에 연결되어 있는 것을 볼 수 있는데, 특히 주목하고 싶은 것은 메타마스크(Metamask)라는 지갑입니다. 백서에도 나와 있는 이 메타마스크 지갑은 ONE이 나아가고 있는 두 가지 방향에서 우리를 도와줄 것입니다.

첫 번째 방향은 글로벌 결제 수단이 되는 것임은 이미 알고 계시죠? 필요한 모든 국가로부터 확실한 법적 틀을 확보하는 데는 조금 더 시간이 필요합니다. 메타마스크 지갑은 이미 ONE을 임의의 법정화폐로 변환할 수 있는 기능을 갖추고 있음을 알 수 있습니다.

메타마스크 지갑은 다양한 암호화폐를 보관하고 서로 변환할 수 있는 기능도 가지고 있습니다. 그리고 이 메타마스크 지갑은 웹 3.0 인터페이스를 통해 유니스왑(Uniswap) 거래소에 연결할 수 있습니다.

그리고 두 번째 방향은 비트코인처럼 자체적인 가치를 창출하는 것입니다. 우리는 독자적인 가치를 창출하지 누구에게도 의존하지 않기 때문입니다. 그리고 어느 방향으로 가더라도 우리는 100% 합법적이기 때문입니다.

일부 정부가 우리를 받아들이지 않거나 허용하지 않는다 하더라도 비트코인처럼 그 나라 사람들은 우리와 거래할 수 있습니다. ONE을 거부하는 정부는 그 만큼 세금수입을 잃게 되는 것입니다.

우리는 이 두 가지 방법을 동시에 병행하고 있고 그로써 우리의 ONE은 독특하고 확고한 입지를 구축할 수 있습니다. 다른 암호화폐들은 둘 중 하나도 시도하지 않고 있지만 우리는 지금 이

두 가지를 모두 하고 있다는 것입니다. 배포가 완료되면 더 많은 정보가 공개될 것입니다.

우리는 매매가 아닌 교환 기반으로 움직이고 있습니다. 투명성을 유지하고 글로벌 세계에 녹아들기 위해서는 ONE의 총수량; 활성 수량, 비활성 수량에 대한 명확하고 상세한 보고서를 작성해야 합니다. 그래서 전환과 배포가 끝나면 많은 일들이 일어날 것이며, 3월 22일 ~24일 말레이시아에서 열리는 글로벌 이벤트에서 더 많은 정보를 얻을 수 있을 것입니다.

100% ONE으로 티켓을 구매하고 싶다거나 DS의 교환 풀에 빨리 참여하고 싶다면 주저하지 말고 (트리니다드 토바코의) 이반과 미셸에게 연락하세요. ONE을 피아트로 교환할 수 있는 방법을 알고 싶다면 업라인에게 연락하세요.

현재 전 세계적으로 뉴 패키지를 판매하고 있는 사람은 저 (MaiLoan 씨)뿐입니다. 새로운 2400 유로짜리 패키지를 팔면 구매자는 4000 ONE을 얻게 되고, 소개한 사람은 즉시 본인이 가진ONE의 일부를 현금화할 수 있습니다. 이번 글로벌 이벤트의 일반 티켓 2장을 100% ONE으로 구매할 수 있는 권리도 얻게 됩니다. 당신에게도 구매자에게도 이익이 되는 패키지를 선택하세요. 우리는 새로운 회원을 육성하고 사람들이 이 플랫폼을 이용할 수 있도록 도와야 합니다. 우리가 이 프로젝트에 투자한 자금과 자산에 대한 책임도 있음을 의미합니다. 또한 당신의 가족과 친구들이 미래에 우리처럼 부자가 될 수 있도록 도와주는 방법이기도 하며, 이 프로젝트가 앞으로 나아갈 수 있도록 도와주는 것이기도 합니다.

자산의 가치가 상승하는 데는 시간의 힘이 중요합니다. 상상을 초월하는 DeFi 금융이 오고 있습니다.
우리 ONE은 이더리움 ERC20, 폴리곤, 유니스왑 탈중앙화 거래소를 이용하고 있기 때문에 디파이 금융의 미래를 정확하게 예측하는 것이 무엇보다 중요한 시점입니다.

지금까지의 화폐는 지리적 경계가 분명한 범위안에서 동일집단의 대중들이 사용해 온 동전, 지폐, 등 실물적인 화폐였습니다.
그러나 인터넷이 고도로 발달되고 이 세상 모든 사물들이 마이크로 칩과 센서로 다 연결되어 사물 인터넷의 환경속에서 블록체인의 보안관리를 받으며 인공지능의 콘트롤에 들어가게 되면 특정 지역 범위와 특정 집단의 한계를 탈피한 진정 글로벌하며, 실물 세계와 사이버 세상이 잘 융합된 새로운 세상에 적합한 새로운 체계의 화폐가 탄생하게 됩니다.

기존의 달러 중심으로 시스템화된 실물화폐는 초연결, 탈제한, 실물사이버의 통합 환경에서는 적합성이 떨어져서 머지않아 새로운 변환이 이루어지면 분명히 도태, 유기될 수 밖에 없습니다.

이제 곧 인터넷과 현실 세계를 통합한 새로운 상거래 플랫폼으로서 전세계 시장을 주도할 거대 사이버 상거래 플랫폼이 개시가 됩니다.

이 플랫폼은 전 세계 경제를 담을 세계인의 사이버 장터가 될 것이며, 여기에서 화폐로 사용될 원(ONE)은 21세기 디지털 화폐를 주도할 글로벌 화폐로 자리를 선점하게 될 것입니다.

PART 1

성공을 위한 첫걸음

ONE으로의 초대

평안한 하루 보내고 계신가요? 세마리 토끼인 "확장성, 탈중앙화, 보안성의 암호화폐 세계의 삼대 측면을 마스터한 암호화폐가 있다고?

안녕하세요, 여러분! 원경제TV에서 오늘은 확장성, 탈중앙화 그리고 보안성의 암호화폐 '삼위일체'에 대해서 이야기할 거예요.

바야흐로 암호화폐의 세계가 개화했을 때, 우리는 몇가지 어려운 문제들과 마주쳤죠.

비트코인이 이 세계를 여는 열쇠였죠, 하지만 거래 속도가 느린 탓에 마치 거북이 걸음처럼 더딘 거래 시간에 많이들 불편함을 느꼈어요.

이더리움이 등장하면서 스마트 컨트랙트의 새 시대를 열었지만, 수수료가 너무 비싸서 그 좋은 기술도 가끔은 부담스럽더라고요.

탈중앙화라는 꿈은 있었지만, 보안 문제나 다른 문제들이 발목을 잡았죠.

그럼 여기서 질문! "이 모든 문제를 해결하면서도 세 가지 주요 요소를 모두 만족시키는 암호화폐가 실제로 존재하나요?

대답은 그렇습니다, 바로 ONE이 그것을 해냈습니다!

ONE은 확장성, 탈중앙화, 보안이라는 세 가지 큰 과제를 품고 탄생했어요.

이 암호화폐는 초고속 거래를 가능하게 하는 확장성을 가지고 있어서 이제 더 이상 빠른 거래를 위해 신경 쓸 필요가 없죠.

탈중앙화? 걱정 마세요, ONE은 완벽한 탈중앙화를 표방하고 있답니다.

그리고 보안, 이것도 결코 놓치지 않았어요.

최신 암호화 기술을 바탕으로, ONE은 여러분의 자산을 철통같이 지켜준답니다.

그뿐만이 아니에요, ONE은 특별한 기능들로 똘똘 뭉친 특별한 암호화폐입니다.

성공을 위한 첫걸음

맞춤형 스마트 컨트랙트가! 오늘은 그야말로 꿀템 중의 꿀템, 나름 신세계를 여는 암호화폐, ONE에 대해 신나게 풀어볼게요.

여러분, 느리디 느린 거래 속도에 지쳐보신 적 있나요? 혹은 보안에 불안해 잠 못 이루신 적 있나요? 걱정 말아요,
여기 ONE이 모든 걸 해결해줄 준비가 되어 있답니다.

초고속 거래에다가, 신나게 탈중앙화돼 버린 시스템으로 우리가 꿈꿔왔던 자유를 제대로 만끽하게 해줘요.

그리고 그 단단한 보안! 마냥 놀랍죠.

여기에 보너스로, 맞춤형 스마트 컨트랙트까지 지원해서 비밀인데 잠깐만요.

이거 진짜 중요한데, 실은 원은 전 세계에서 손에 꼽을 정도로 희소성을 자랑해요.

확장성, 탈중앙화, 보안, 이 삼박자를 완벽하게 갖춘 암호화폐가 드물어서 원에 대한 수요는 점점 치솟고 있지요.

그래서 말인데요, 지금 바로 이 기회를 잡으세요! 한 번 놓치면 다시 올지 안 올지, 아무도 모른다구요!

원으로 당신의 디지털 자산을 한 단계 업그레이드 하고, 완벽한
암호화폐 경험을 즐겨 보세요.

세마리 토끼를 다 잡을 수 있는 ONE Go, go, go!

ONE ECOSYSTEM이란?

ONE ECOSYSTEM은 새로운 금융시스템이며, 스위스 바젤에 본사가 있습니다.

디지털 대전환 시기에 ONE을 중심으로 금융혁명이 전개되고 있으며, 2025년에 출범할 것으로 전망하고 있습니다.

유럽에서 MiCA 암호자산 시장 기본법을 2023년 6월 9일 관보 게시 하였고 2024년 6월 30일 시행하게 됩니다.

핀란드 법률실사를 통하여 합법적인 프로젝트를 진행하고 있으며, 여행에는 ONE VOYAGE, 생활,건강에는 ONE VITA, 외환 거래에는 ONE FOREX 그리고 쇼핑몰 DEALSHAKER, 교육 ONE ACADEMY, 자선 ONE CHARITY의 새로운 기업이미지가 원에코시스템에 적용되었습니다. ONE은 화폐의 길을 걸어오고 있습니다. 곧 챔피언의 자리 정상에 ONE이 오르게 됩니다.

암호화폐 시장에서 큰 영향력을 발휘하고 있는 테슬라의 CEO 일론 머스크는 "디파이를 무시하지 말라"고 트윗을 했습니다. 미국을 대표하는 은행인 뱅크오브아메리카 역시 '디파이는 비트코인보다 더 혁신적이다'라 고 주장했습니다. 재계의 큰손이 왜 이렇게 디파이를 칭송하는 걸까요? 그 이유를 알려면 블록체인의 미래라고 불리는 디파이가 무엇인지부터 알아야 합니다.

디파이 De는 Decentralized와 Finance의 합성어로, 우리 말로 탈중앙화 금융입니다. 이름에서 알 수 있듯이 핵심은 탈중앙화와 금융입니다. 탈중앙화란 블록체인의 핵심가치로 은행, 증권사, 카드사 같은 특정 집단이나 정부가 개입하지 않는다는 것입니다. 쉽게 말해서 중개인이 없습니다. 금융을 붙인건 전통적인 금융처럼 예금, 적금, 대출, 보험 등의 서비스를 모두 제공할 수 있다는 것입니다.

디파이에서 모든 거래는 인간의 손을 거치지 않고, 100% 자동으로 이루어 집니다. 기존 은행의 역할은 디파이의 스마트 콘트랙트가 대신하게 됩니다. 이더리움을 공부하면서 스마트 콘트랙트가 무엇인지 알아보았습니다. A라는 계약조건을 충족하면 B라는 계약이 자동으로 실행되도록 설계된 프로그램입니다. 디파이는 전통적인 금융서비스보다 어떤 점에서 나을까요?

첫째 중개자 리스크가 낮습니다.

2008년 금융위기 당시 미국의 4대 투자은행 중 한 곳이었던 리먼 브라 더스가 파산했습니다. 사람들은 대형 은행도 절대 안전하지 않다는 걸 알 게 되었습니다. 한국에서는 라임사태가 사회를 시끄럽게 했습니다. 고객의 돈을 부정하게 관리하고 사용해 큰 피해를 줬습니다. 두 사건은 '금융기관을 신뢰할 수 있는가?' 라는 화두를 던졌다는 데 공통점이 있습니다. 디파이 에서는 중개자 리스크가 거의 일어나지 않습니다.

둘째 누구나 자유롭게 이용할 수 있습니다.
빌려주는 쪽이나 빌리는 쪽 모두 신원인증 절차가 없습니다. 따라서 신용등급 같은 벽이 사라지게 됩니다. 지역적인 한계도 없습니다. 현재 전세계의 17억명 이상이 금융의 혜택을 누리지 못하고 있다고 합니다. 이제 디파이를 통해 인터넷만 있으면 누구든 금융 서비스를 자유롭게 이용할 수 있습니다.

셋째 뛰어난 확장성을 지니고 있습니다.

디파이 서비스는 스마트 콘트랙트의 표준에 따라 오픈소스로 제공됩니다. 현재도 오픈소스를 활용해 새로운 서비스가 계속 생겨나고 있습니다.

넷째 자산에 대한 모든 권한이 개인에게 있습니다.

지금까지는 금융을 이용할 때 은행이 관리하는 계좌에 자산을 넣고 서비스를 이용했습니다. 내 돈의 통제권이 은행과 같은 중개자에게 있습니다. 하지만 디파이에서는 나의 자산에 대한 모든 권한이 전적으로 나 자신에게 있습니다.

현재까지는 수익률에서도 큰 차이가 납니다. 시중 은행의 금리는 7%대에 머물고 있지만, 디파이에서는 20%, 30% 혹은 100% 이상의 이자를 받을 수 있는 곳도 있습니다.

미래금융은 디파이 금융이라고 해도 과언이 아닐 만큼 크게 성장하고 있습니다.

스테이블코인은 왜 중요할까?

디파이를 이해하기 위해서는 스테이블 코인의 개념을 알아야 합니다. 사람들이 암호화폐 하면 떠올리는 첫 번째 이미지가 무엇일까요? 가격 변동성입니다. 암호화폐 중에는 1~2시간 사이에 몇 배씩 오르내리는 코인도 있습니다. 상대적으로 안정적인 비트코인 역시 일반 화폐와는 비교하기 어려운 변동성이 있습니다.

금융의 대표적인 비즈니스 모델은 대출입니다. 고객에게 돈을 빌려주고 그에 대한 이자를 받는게 은행들의 주 수익원입니다. 만약 100만 원의 돈을 대출해주었는데, 얼마 안 가서 80만 원이 되어버린다면 고객으로서는 무척 곤란할 겁니다. 반대라면 은행이 난감하겠죠.

암호화폐 시장에는 변동성이 적은 안정적인 코인이 필요했습니다. 그래서 탄생한 것이 스테이블 코인입니다.

스테이블 코인에는 법정화폐 담보, 암호화폐 담보, 알고리즘 기반의 세 가지 방식이 있습니다. 이 중에서 가장 많이 사용되는 방식은 법정화폐 담보 방식입니다. 대표적으로 테더(Tether), USDT가 있습니다. 테더는 해당 프로젝트가 보유하고 있는 달러만큼만 스테이블 코인을 발행합니다. 그러면 스테이블코인 1개는 1달러가 됩니다. 테더는 암호화폐 시장의 변동성에 흔들리지 않고, 환율에 따른 달러의 가격을 따라갑니다. 테더 외의 대표적인 스테이블 코인으로는 USDC, BUSD, DAI, TUSD, PAX 등이 있습니다.

스테이블 코인 시가총액 순위는 코인마켓캡(https://coinmarketcap.com)에서 확인할 수 있습니다.

스테이블 코인은 안정적이지만, 암호화폐이기 때문에 스마트 콘트랙트에서 사용할 수 있습니다. 디파이의 성장은 스테이블 코인의 수요 증가와 밀접한 관계가 있습니다.

우리 ONE은 스테이블코인으로 유로기반이며, 현재 42.5유로, OES/USDT 쌍으로 코인마켓캡에 45.25달러로 등재되어 유니스왑 거래소에서 거래되고 있습니다.
제 생각으로는 폴리곤 OES에 가치가 등재되고 탈중앙화 거래소 유니스왑에서 자동으로 거래가 가능해 질 수 있다는 전망을 조심스럽게 해보겠습니다.

세상의 많은 사람들은 암호화폐에 대한 정확한 정보의 부족과 불신으로 지금 당장 돈이 되어야 한다는 생각 때문에 암호화폐에 투자를 망설이고 있습니다.

사람들은 그것이 현실이 되었을 때에 인정을 하기 시작하는데 안보이는 것을 볼 줄 알아야 부자가 됩니다.
사업 성공의 비결은 이 세상이 어디로 갈지를 먼저 알아내는 것입니다. 앞으로 이 세상은 새로운 디지털 세상으로 갑니다.

살아 남기 위해서는 끊임없이 새로운 것을 배우고, 적응해야 하며, 성공하려면 변화를 받아 들여야 합니다.

코로나 19 이후로 미국을 비롯한 전 세계의 모든 나라에서는 무한정으로 종이 돈, 지폐를 찍어내면서 그 종이 돈을 풀어서 경제를 살려 보겠다고 합니다.

계속해서 찍어내는 종이 돈이 홍수처럼 넘쳐나는 시대에 우리 인류는 단 한번도 경험하지 못한 가장 무서운 대공항을 향하여 가고 있습니다.

종이 돈, 지폐는 무한정으로 자꾸만 찍어내므로 계속해서 종이 돈의 가치는 폭락하고, 물가는 올라가는 이 때에 디지털 화폐 시대! 즉 암호화폐 시대가 지금 우리 앞에 다가오고 있습니다.

지금까지 경제학자들이 꿈꾸는 가장 이상적인 화폐는 역사적으

성공을 위한 첫걸음

로 없었습니다.

인류가 찾던 가장 이상적인 화폐는 형체가 없어야 하고 수학적일 수 밖에 없습니다.

그것이 바로 원(ONE)입니다.

이제부터는 원(ONE)으로 이 세상이 확 바꾸어질 것입니다.

원(ONE)은 우연히 만들어진 것이 아니고, 거대한 금융 세력들에 의해서 3~40년 전부터 철저하게 의도되고 기획되어져 나온 것입니다.

그러나 1971년 8월 15일에 미국 닉슨 대통령에 의해 실시가 된 금과의 연결고리가 끊어진 뒤에 미국의 달러는 금본위제도에서 벗어나서 양적완화로 계속해서 달러를 찍어내고 있습니다.

화폐의 기능을 ① 가치 척도의 기능 ② 가치 저장의 기능 ③ 교환 매매의 기능 ④ 결제 지급의 기능이라고 볼 때에 달러화는 한때 화폐의 4가지 기능을 온전하게 수행하였습니다.

그러나 미국의 달러는 가치 척도와 가치 저장의 2가지 기능을 잃어 버리고 현재는 매우 위태로운 상황에 처해 있습니다.

세계를 통제하는 거대한 금융 세력들이 꿈꾸는 미래의 지불수단인 원(ONE)을 주목해야 합니다.

그들은 먼저 비트코인으로 세상 사람들에게 암호화폐라고 하는 것을 교육하였으며, 4년간 비트코인의 문제점들을 연구하여 나온 원(ONE)은 미래의 화폐이면서 지불수단입니다.

먼저 적이 나를 이길 수 없도록 만들어 놓고, 적을 이길 수 있을 때까지 기다린다는 것이 세계 경제의 45%를 거머쥐고 있다고 하는 금융세력들의 경영철학이라고 합니다.

누구도 눈치를 못채도록 전달하면서 퍼져나가는 네트워크 방식의 원(ONE)이 가는 길입니다.

금본위제도가 무너진 지금은 달러의 가치를 제로(0)로 만들려고 하는 금융세력(금융 엘리트 집단 : 거대한 금융세력)들의 속마음을 알아내야 합니다.

그런 다음 새로운 세계 단일 화폐의 꿈속으로 들어가는 것입니다. 그것이 그레이트 리셋인 것입니다.
달러를 찍어내는 미국 연방 준비위원회는 2,000명의 뛰어난 경제학자들을 거느리면서 세계에서 가장 완벽한 정보와 데이터를 확보하고 있다고 합니다.

거기다가 그 당시의 그린스퍼 연방준비위원회 의장은 데이터 통계와 수학모델에 정통한 천재적인 경제학자였습니다.

그런 연방준비위원회가 2006년도까지의 금융위기 징후를 눈치채지 못했다는 것은 도저히 믿기 어렵습니다.
2008년의 금융위기는 일부러 의도되고 계획된 것이였다고 봅니다.

2019년에 발생한 코로나 19도 천재가 아니고 계획되고 의도된 인재라고 보는 이유가 빨리 현 경제가 거의 망해가야 새로운 세계 단일화폐가 나와야 하기 때문입니다.

현재의 달러화 체계가 2024년을 전후해서 붕괴 된다고 가정할 경우에 이 세계에는 달러화를 대체할 각 국가의 주권 통화는 더 이상 존재하지 않게 됩니다.

세계 단일화폐가 거스를 수 없는 역사발전의 추세라고 한다면 과연 어떤 통화 시스템이 세계의 모든 부를 분배하는데 공평성을 유지할 수 있을까요?

지금까지 인류가 경험해 본 자본주의의 금융시스템의 모든 문제점들을 완벽하게 소화해 내야 합니다.

앞으로 새로운 통화가 출현하기 위해서는 기존의 신용화폐의 힘이 무너져야 하고, 기존의 신용화폐가 불편하다고 하는 것을 느끼게 해야 하고 문제점이 많다고 하는 것을 느끼게 해야 하는 것입니다.

세계 단일화폐는 2020년부터 2024년까지 시험 운영되다가 2025년부터 정식으로 출범하게 될 것입니다.

그리고 2024년 즉 올해 6월에 유럽의 MiCA법이 발효가 되면 세상은 확 변할 것입니다.
이제는 때가 다 되었습니다.

지금의 문제는 세계 단일 화폐의 채택 여부가 아니고, 언제, 어떻게, 세계 단일화폐를 채택할 것인지를 공부해야만 합니다.

가급적이면 높은 원가를 지불하지 않고 간단한 절차를 거쳐 순조롭게 세계 화폐를 발행하는 것이 바람직합니다.

세계 중앙은행과 세계 단일화폐의 출범을 위한 준비가 철저하게 순조롭게 이루어지고 있습니다.

세계 단일화폐는 모든 금융위기를 해결할 특효약이며 세계 단일화폐를 발행하는 세계 중앙은행은 반드시 각국 정부의 간섭과 저항을 받지 않는 독립적인 권력기구이어야 한다는 점을 강조하고 싶습니다.

그러니 정부가 아닌 민간이 만든 원(ONE)이어야 하는 이유입니다.

그렇다면 각 지역의 단일화폐들을 어떻게 세계 단일화폐로 통합할 것인가를 고민해야 합니다.

원(ONE)의 가는 길은 매우 험하고 힘들지만 그래도 가야할 길입니다.

정해 놓은 시간표대로 원에코시스템으로 원(ONE)의 생태계를 만들어 2022년 9월에 원포렉스와 원보야지, 원비타를 발표했습니다.

그러면 나는 도대체 무엇을 준비하고 기다려야 하는가? 공부하는 것만큼 돈이 보입니다.

그래서 거래소에서 거래되는 모든 것들은 암호화폐가 아니고 가상자산이라고 정의를 합니다.

정부는 특금법을 만들어서 은행을 통한 실명계좌로 강력한 규제와 통제를 하면서 시세차익에 대해서 세금을 매긴다고 하는 것입니다.

거래소에서 움직이고 있는 모든 가상자산들은 오로지 싸게 사서 비싸게 팔고자 하는 투기자산에 불과합니다.

원(ONE)은 다른 코인들처럼 거래소에서 사고 팔아서 매매차익을 목적으로 하는 단기 매매 성향의 암호화폐가 아닙니다.
2008년 이후 수천, 수만가지가 넘는 많은 암호화폐들이 세상에 나왔지만, 그것들은 모두가 다 거래소에 갇혀서 암호화폐가 시시각각 초당으로 가격이 변하는 투기성 가상자산으로 전락되고 말았습니다.

전 세계의 200여개 국가에서 약 500만명의 **원(ONE)** 유저들은 인내심을 가지고 움직이고 있습니다.

종이 돈, 지폐는 중간에 꼭 은행이 있어야만 결제와 송금이 가능합니다.

그러나 **원(ONE)**은 중간에 은행이나 거래소가 필요없이 본인의 휴대폰에 있는 계정 지갑의 아이디에서 유로와 **원(ONE)**의 이체가 **P2P** 방식으로 개인간 직접 결제와 송금이 전 세계 **200**여개 국가의 누구에게나 자유롭게 순식간에 즉시 이루어지고 있습니다.

원(ONE)은 해외 송금과 무역결제에 가장 이상적인 디지털 화폐로서 은행이 없어도 금융 직거래가 가능해지는 시대가 오고 있습니다.

기존의 모든 가상자산들은 거래소 마다 가격이 다 제각각 다릅니다.

그러나 원(ONE)은 국가간의 환율이 필요가 없는 전 세계에 동일한 가격의 세계 단일화폐이므로 전 세계 어디에서든지 사용이 가능합니다.

원(ONE)은 죽은 후에도 배우자와 자식에게 상속이 가능하고, 원(ONE)은 비밀번호를 본인의 기억으로 저장되어 있으므로 안전하게 누구도 모르게 자금을 숨겨 놓을 수도 있습니다.

원(ONE)은 본사의 중앙 집중식 관리가 가능하므로 본인의 비밀번호를 기억하지 못하면 본사에 이메일을 보내면 비밀번호의 재설정이 가능합니다.

원(ONE)은 블록체인에 여권과 영문초본이 들어가는 즉 약자로 KYC라고 하는 완벽한 금융 실명제가 탑재되어 있는 신원인증이므로 비실명제의 다른 코인들하고는 완전히 다른 것이기 때문에 정부의 제도권안에서 환영할 수 밖에 없습니다.

원(ONE)의 총공급량은 2,500억개로 전 세계의 70억 인류가 사용이 가능한 숫자입니다.

전 세계적으로 실 생활속에서 돈 처럼 쓰여지고 있는 암호화폐는 아직 없습니다.

그러나 사용처를 인정 받아서 돈으로 즉 화폐로 실제 생활속에서 널리 사용되고 있는 암호화폐는 오직 원(ONE) 뿐입니다.

그러므로 누구나 원(ONE)을 가지고 있어야 합니다.

원(ONE)은 실제로 생활속에서 달러나 유로, 신용카드와 같이 실제 구매력을 가지고 화폐의 역활을 확실하게 하기 때문에 상인들이 상품과 서비스를 원(ONE)하고 교환하기를 원하고 있으므로 원(ONE)으로 모든 의식주가 해결이 되고 있습니다.

딜쉐이커(https://dealshaker.oneecosystem.eu/)에서 법정화폐와 원(ONE)의 비율을 70 : 30, 혹은 50 : 50, 혹은 0 : 100 %의 조합으로 198개의 각 나라에서 일반 상점과 호텔, 자동차, 부동산에 이르기까지 원(ONE)으로 모든 상품과 서비스를 사고 팔고를 합니다.

원(ONE) 1개의 국제 가격은 42.50유로입니다. 환율로 계산하면 약 60,000원 한국 돈입니다.

이제는 폴리곤 공개장부를 이용하여 모든 거래가 투명하게 공개되고 수정과 삭제가 불가능한 블록체인 기술을 확보하고 있습니다.

23년 9월 23일 코인마켓캡에 OES/USDT로 쌍으로 가격이 45.25$로 등재되고 유니스왑 탈중앙화 거래소에서 거래가 시작되었습니다.

그뿐만이 아니라 바이낸스에도 원에코시스템 내용이 홍보되고 있습니다.

원(ONE)은 디지털 금화이며 실제로 현금과 같이 바로 쓰여지고 있는 돈입니다.

원(ONE)은 돈의 가치 하락 즉 인플레이션이 없는 화폐이며, 거래소에서 초당으로 가격이 변하는 기존의 코인들이 아니며, 난이도 상승과 한정된 수량으로 디지털 지갑속에 가지고만 있으면 세월이 지나면서 가격이 떨어지지 아니하고 난이도 상승에 따라서 **원(ONE)**의 가격은 계속 올라만 가는 것으로 설계가 되어 있습니다.

2015년 5월에 0.5유로부터 시작하여 현재까지 총 21번의 가격 상승이 이루어졌는데, 이것은 전 세계 신규회원들의 증가에 비례하는 채굴의 난이도 상승에 따른 효과입니다.

　　2015. 05. 31 = € 0.50
　　2015. 06. 05 = € 1.05
　　2015. 06. 10 = € 1.25
　　2015. 07. 10 = € 1.55
　　2015. 08. 29 = € 1.95
　　2015. 09. 29 = € 2.45
　　2015. 11. 09 = € 3.35

2015. 12. 10 = € 3.95

2016. 01. 01 = € 4.45

2016. 02. 05 = € 5.25

2016. 03. 17 = € 5.65

2016. 05. 27 = € 6.25

2016. 08. 15 = € 6.95

2016. 11. 25 = € 7.85

2017. 03. 09 = € 9.85

2017. 06. 15 = € 12.45

2017. 08. 30 = € 15.95

2017. 11. 22 = € 20.75

2018. 09. 02 = € 26.95

2019. 01. 14 = € 29.95

2020. 01. 04 = € 42.50 (약 60,000원)

원(ONE)을 채굴하는 어려움 즉 난이도를 숫자로 표시하는데 지금의 난이도는 425입니다.

현재 20여 가지의 채굴 종류에 따라서 본인의 여유 자금의 능력에 맞게 붙잡을 수 있는 원(ONE)의 수량을 조절할 수 있습니다.

그런데 현재 채굴은 아주 비싸게 채굴이 되고 있습니다.
그러나 아직은 장외거래로 저렴하게 구입은 가능합니다.
금년(2023년) 말까지 환전 풀이 생긴다고 하는데 환전 풀이 생기기 전에 **6만원**의 **원(ONE)**을 저렴하게 구입하여 본인의 계정 지갑에 반드시 보관해야 합니다.

그런데 곧 채굴이 끝나고 **24년 6월**에 유럽의 **MiCA법**이 발효가 되면 **원(ONE)**의 가격은 시장원리에 따라서 **원(ONE)**의 가격 상승이 예상됩니다.

전 세계가 동일한 가격으로 국경과 환율이 없는 세계 단일화폐입니다.
꼭 알아야 하는 암호화폐인 **원(ONE)**을 빨리 당신의 휴대폰속의 계정 지갑에 보관해야 합니다.

부동산 주식으로 부자되기는 어렵지만 **원(ONE)**을 가지면 부자가 되는 것은 아주 쉽습니다.

원(ONE)에 대해서 좀 더 자세히 알고 싶으면 제가 만든 **"큰 부자가 되고 싶다면 비트코인 대신 원(ONE)을 사라"** (480쪽)의 전자책을 읽어 보기를 권합니다.
돈을 크게 벌 수 있는 역사적인 기회가 찾아 왔습니다.

빨리 서둘러야 합니다.
메일접수 : kis7910@naver.com
(☎ 010-2041-0521 : 김일석 지점장, 문자접수)

화폐의 변천사

1) 화폐의 변천사

화폐는 인간의 역사와 함께 발전해 왔다. 최초의 화폐는 자연물 교환 형태였다. 즉, 물건을 물건으로 교환하는 방식이었다. 그러나 이러한 교환 방식은 불편하고 효율성이 떨어졌다. 이러한 문제를 해결하기 위해 금과 은과 같은 귀금속을 화폐로 사용하기 시작했다. 귀금속은 가치가 안정적이고 교환하기가 쉬웠기 때문이다.

그러나 귀금속은 운반하기가 불편하고 위조하기가 쉬웠다는 단점이 있었다. 이러한 문제를 해결하기 위해 종이화폐가 등장했다. 종이화폐는 금이나 은의 가치를 보증하는 증표였다. 종이화폐는 운반하기 쉽고 위조하기가 어려웠기 때문에 급속도로 보급되었다.

현대에는 종이화폐와 함께 전자화폐가 사용되고 있다. 전자화폐는 컴퓨터나 스마트폰을 통해 거래할 수 있는 화폐이다. 전자화

성공을 위한 첫걸음

폐는 사용이 편리하고 보안성이 높다는 장점이 있다.

2) 암호화폐 역사

암호화폐는 2009년 사토시 나카모토가 개발한 비트코인을 시작으로 등장했다. 암호화폐는 블록체인 기술을 기반으로 하는 디지털 화폐이다. 블록체인 기술은 거래 정보를 분산 저장하고 해킹을 방지하는 기술이다.

암호화폐는 기존 화폐와 달리 중앙 기관의 통제를 받지 않는다. 따라서 정부의 통제에서 자유롭고, 더 안전하고 효율적이라는 장점이 있다.
암호화폐는 등장 이후 급속도로 성장했다. 2022년 기준으로 전 세계 암호화폐 시장 규모는 약 3조 달러에 달한다.

3) 화폐혁명과 돈의 본질

돈의 혁명은 지금 첫번째 돈의 변화가 있는 싯점입니다. 돈의 변화라는 것은 우리가 먹고 사는 생존의 의미가 있어서 반드시 지금 알아야할 중요한 사항들입니다. 다른것은 몰라도 생활에 불편함은 있겠지만 돈의 변화는 정말 지금 이 싯점에 알고 있어야 될 중요한 사항입니다. 왜 돈의 혁명인가의 첫번째 질문에 답은 돈의 형태의 변화입니다. 처음에는 물품으로 직접 교환을 했습니다.

그리고 물품을 대신할 금이나 은을 사용하였고 그후 동전이나 지폐로 화폐를 삼았습니다. 여기까지가 보이는 돈입니다. 보이는 돈은 오프라인에서 사용하였습니다. 오프라인에서는 본질이 소유입니다. 공유할 수 없는 세상이었습니다. 그래서 독점될 수 밖에 없었습니다. 그리고 나서 이제 돈이 보이지 않는 돈으로 넘어갑니다. 이제는 신용카드가 나왔고 페이라는 전자화폐가 등장하였습니다. 다음에 CBDC 중앙은행이 발행하는 디지털 화폐가 나왔습니다. 이렇게 흘러가는 대세를 막을 수 없습니다. 대표적인 예가 중국의 디지탈 위안화라고 볼 수 있습니다.

이제 소유의 시대에서 공유의 시대로 넘어가는 단계에서 즉 4차산업혁명 시대에서 살고 있습니다. 그렇다면 왜 보이지 않는 돈이 돈의 혁명인가를 알아보기 위해서는 보이지 않는 돈을 좀더 구체적으로 들여다 볼 필요가 있습니다. 본질을 들여다 보면 신용카드는 돈의 역할을 하는 것입니다. 고객의 입장에서는 현금을 가지고 있지 않아도 편하니까 자기의 신용으로 쓰는 것입니다. 가맹점도 좀더 많이 팔기 위해서 사용을 합니다. 신뢰하고 믿으니까 먼저 먹어봐 먼저 사용해봐 하는 것은 카드사나 은행을 믿기 때문입니다.

처음에는 가맹 수수료가 7%나 되었습니다. 카드 발행은 년회비가 삼사만원으로 비쌌습니다. 신용카드가 만들어낸 가계부채가 2천조에 가까운 세계 최대 가계 부채를 만들어 낸 결과치라고 볼 수 있습니다. 결과적으로 신용카드로는 중앙화된 독점화 문제를 해결할 수 없는 것입니다. 공유경제를 만들어 주기에는 기술력이 부족했다는 증거입니다. 그렇다면 독점화를 막기위해서 또 다른 돈으로 흘러가야 하는 것입니다. 소유경제와 공유경제의 융합흐름은 선순환 공유경제를 만들어서 인간이 돈에대한 자유를 누리게 하기위해서 4차산업 혁명이 진행되어 왔습니다.

선순환 공유경제를 하기위해 그동안 달려왔고 인간에게 자유를 주는데 첫번째 자유가 머니 머니해도 돈에대한 자유를 누리고 싶은 것입니다. 그것을 위해서 경제가 발달되어 왔고 그것을 위해서 돈이 변화되고 있었다는 것입니다. 그런데 지금까지 들여다보니 편리했지만 돈이 오히려 나를 더 통제하고 나에대한 돈의 자유를 빼앗았다는 겁니다. 그래서 페이시스템이 나온것입니다. 이유는 중앙화된 돈의 독점화를 막아내기 위해서 입니다. 페이는 전자화폐입니다. 이런 온라인 세계에서 보이지 않는 돈의 역할을 합니다.

예전같으면 금융이라는 것은 은행 이나 금융회사에서 핀테크를 개발해서 하는거였는데 지금은 4차산업혁명에 걸맞는 기술력을 가지고 핀테크 시스템을 만들어 내고 있습니다. 대표적인 것이 삼성페이, 카카오페이, 네이버페이는 기술력을 가지고 있는데는 페이시스템을 만들고 있습니다. 그렇다면 고객은 왜 신용카드에서 페이시스템을 쓸까요? 간편하고 편리하니까 자유롭게 결제할 수 있고 혜택을 주기때문에 선택하는 것입니다. 고객은 더 많은 혜택과 더 편리함을 선택하게 되는 것입니다.

그렇다면 기업에서는 왜 이렇게 페이 시스템을 할까요? 많은 자금이 들어갈텐데 페이 시스템을 하는 이유는 무엇일까요? 기업은 이윤추구라는 목표를 달성하기 위해서 데이터를 모아야 하기때문에 혜택을 주고 편리함을 주어 고객이탈을 방지하기 위함입니다. 돈의 본질은 권력을 주고 힘을 줍니다. 많은 사람들이 사용하면 그안에서 일어나는 힘과 나라를 만드는 것입니다. 그래서 이 페이 시스템은 고객 이탈을 방지하기 위해서 기업에서는 정말 중요한 개념입니다.

제품의 시장력을 지배하기 위해서 입니다. 바로 지금까지는 돈이 독점화 되었습니다. 이제는 돈이 독점이 되지않도록 흘러가고 있는 것입니다. 우리 사회가 구현하고자 하는것은 독점화를 막아내고 탈중앙화된 돈에 대한 자유를 주기위해서 달려가고 있는 선순환 공유경제를 만들려고 하는 것입니다. 아직까지는 독점화 되고 있었다는 것입니다. 그러면 독점화를 막고 선순환 공유경제를 이루려는 기업을 파악하고 알아야 합니다. 분별력을 가져야 합니다. 한마디로 나에게 혜택을 주고 선순환 공유경제를 만들어 낼 수 있도록 기업의 형태가 나타나야 합니다.

기술력으로 돈이 기업으로 들어가서 다시 고객에게 흘러들어가는 시스템을 구현해 내야합니다. 독보적이고 혁신적인 핀테크 금융기술이 아주 독보적이고 혁신적이어야만 합니다. 지금까지는 모든 기업에서 정말 글로벌기업에서 대기업에서도 이것이 회사로만 돈이 들어갔었단 말입니다. 이제는 데이터가 돈이 된다는 것을 아는 세상이 되었습니다. 그동안 중앙집중식 시스템에서는 나눠주는 시스템이 아닌 회사로 데이타와 돈이 들어갔다는 것입니다. 핀테크라는 결제시스템에서 바로 고객에게 데이터를 줄 수 있는 시스템을 가지고 있어야 합니다.

아직까지는 이기술이 구현되지 않았기 때문에 독보적이고 혁신적인 기술이라는 것입니다. 페이 시스템은 국경을 넘어가거나 세계인을 다 담을 수 가 없는 시스템입니다. 외환법이 있기 때문입니다. 그렇지만 한단계 넘어서 세계인들을 다 담아내는 돈의 구현이 일어나야 합니다. 그것이 바로 기술력입니다. 블록체인을 기반한 암호화폐의 기본은 탈중앙화 입니다. P2P 분산네트워크 탈중앙화된 돈 아무에게도 방해받지 않고 세상사람들한테 다 통용할 수 있는 블록체인을 기반한 암호화폐 즉 코인입니다. 하지만 요즘 코인은 어떠한가요?

다 안좋고 나왔다가 큰 변동성을 보이고 사라지는 과정을 거치고 있습니다. 이유는 현실세계에서 즉각적으로 돈을 돈으로 쓸 수 가 없는 한마디로 쓸모가 없다는 것입니다. 돈을 돈으로 쓸 수 없는 결제할 수 없는 그 자체에 있는 것입니다. 그렇지만 그 코인이 실물과 연동되게 만들어져서 실질적으로 빵을 사먹고 커피를 사먹을 수 있는 바로 즉시 결제할 수 있는 기술력을 구축하고 있다면 그것은 세계인들에게 혜택을 줄 수 있는 돈으로 사용된다는 것입니다. 아직 이 기술은 구현되지 않았습니다.

바로 이런 기술력을 가지고 있어야 합니다. 세계인을 향해서 나갈 수 있는 돈의 구현을 가지고 있는 기술력을 가지고 있어야 하는 것입니다. 바로 IT융합 기술이 있어야 하는 것입니다. 그래야 선순환 공유경제를 만들어 낼 수 있는 것입니다. 지역적이나 한 나라에 국한된 것이 아니라 전세계인 사람들이 동시에 그 생태계에서 누릴 수있는 그 돈에 대한 자유를 누릴 수 있는 기술력으로 뻗어 나가야 한다는 것입니다. 그것이 독보적이고 혁신적인 기술입니다. 이것 또한 세계에 하나 밖에 없는 특허를 가지고 있어야 합니다.

세번째는 마지막 돈의 형태에 있어서 CBDC가 있었습니다. CBDC는 나라에서 발행하는 디지털화폐입니다. 이것이 바로 블록체인 기반한 암호화폐의 일종입니다. 그렇다면 이것은 코인입니다. 국가기관에서 코인을 만들어 낸다면 이것또한 공유경제를 만들어 내기는 어렵습니다. 탈중앙화가 안되기 때문입니다. 그렇다면 모든것에서 탈중앙화를 시킬 수 있는 그런 장악기술력이 있어야 합니다. 어떤 것에도 통제 받지 않는 탈중앙화된 장악할 수 있는 기술력이 회사에 있느냐는 것입니다.

바로 이기술이 있어야만 어떤 것에도 통제 받지 않고 선순환 공유경제로 뻗어 나갈 수 있는 것입니다. 바로 이 세가지 개념이 중요합니다. 우리가 분별력을 가지시고 들여다 봐야 합니다. 그냥 단순하게 지금 편하고 뭔가 혜택을 많이 주고 하는 것이 좋아 보여도 실제적으로 모든 사람에게 본인한테 들어오는 그 기업한테 들어가는 것을 시스템적으로 기술적으로 사람들에게 나눠질 수 있는 시스템을 구축해 낸다면 아직까지 구현된 봐도 없고 이런 기업이 아무데도 없기 때문에 이것을 할 수 있는 기업이 등장하면 가능해 집니다.

4차 산업혁명에서 핵심적으로 원하는 것은 선순환 공유경제 입니다. 선순환 공유경제는 지금까지 다 독점이었는데 독점이 아닌 모든 사람한테 돈이 나갈 수 있는 시스템을 구현하는 것입니다. 그것을 위해서 기술개발을 하고 지금 까지 달려온 것입니다. 그것을 할 수 있는 기술자와 그런 사람들이 모여서 결국은 이것을 해내야 하는 것입니다. 바로 이기술력을 가지고 있느냐 없느냐를 구별할 수 있는 분별력을 우리가 가지고 있어야 합니

성공을 위한 첫걸음

다. 바로 페이 시스템에서 할 수 있습니다.

이제 할 수 있는 단계가 온것입니다. 4차산업혁명을 시작하고 이제 7년이 지나고 융합기술이 이루어 지고 있기때문에 이제는 초융합기술이 가능해졌기 때문에 초고속으로 초연결로 되었기 때문에 이기술을 들여다 보면 지금까지 공부해온 블록체인 기술로 인간과 공간과 시간을 융합하는 의미를 알아야 합니다. 바로 이것을 구현해 낼 수 있도록 융합기술이 이루어지는 것입니다. 그것을 정확하게 하려면 하나 하나 더해서 두개가 되는 것이 아니라 새로운 창조의 개념으로 기술이 나오는 것입니다.

바로 이기술을 구현해 낼 수 있는 기업이 있는가 그런 돈인가를 그것을 판단할 수 있는 분별력을 키워야 하는 것입니다. 그렇다면 왜 돈의 혁명인가 라고 질문을 한다면 두번째는 부의 이동이 지금 일어나고 있습니다. 보이지 않는 돈으로 부의 이동이 일어나고 있습니다. 첫번째로 산업혁명에서 공부했듯이 인간의 욕망으로 들여다 봅니다. 처음에는 생존의 문제였다가 편리하고 싶었다가 그다음에는 공유하고 싶고 연결하고 싶어서 3차산업혁명이 일어났었습니다. 이제 개별적인 맞춤과 스마트함을 위해서 4차산업이 일어나고 있는 것입니다.

그리고 나서 인간의 욕망은 결국은 돈에 대한 자유를 누리고 싶은 것입니다. 그런데 지금 돈에 대한 자유를 누릴 수 있도록 혜택을 받지 못하고 있습니다. 그렇다면 지금 돈은 어디로 흘러가고 있나요? 돈에 대한 자유를 누릴 수 있도록 돈이 안나온다는 말이죠. 그래서 또 독점화가 되고 있다는 것입니다. 인간의 욕망은 자유를 원하는데 하지만 지금 현재는 돈의 이동은 독점화가 되고 있다는 것입니다. 중앙집중식으로 흘러가고 있다는 것입니다. 그 흐름을 알고 있어야 합니다. 그 흐름은 자유와 독점의 두 관계가 싸우고 있는 것입니다.

두번째로 기술개발 측면으로 보아야합니다. 기술개발은 이렇게 융합기술까지 왔습니다. 융합이라는 것을 해서 결국 얻고자 하는 것은 돈에 대한 자유를 얻고 싶은 것입니다. 선순환 공유경제를 만들어서 모두다 잘먹고 잘사는것으로 독점이 아닌 그것을 원했지만 그것이 아직 안되고 있습니다. 독점과 자유의 싸움이 끝나지 않고 있습니다. 세번째 돈의 흐름을 보고있으면 돈의 본질을 아는 사람에게 다흘러간다는 것을 우리는 알고 있습니다. 돈의 본질을 아는자는 선순환 공유경제를 하려고 하는 사람입니다. 아직까지는 막혀있다는 것입니다.

결국은 자유를 주는 돈과 자유를 빼앗는돈 중앙화된 돈과 탈중앙화된 돈이 싸우고 있는 현실입니다. 계속 싸워 왔고 계속 독점과 중앙화가 이겨왔습니다. 결국은 누가 이기겠습니까? 이 흐름을 막을 수는 없습니다. 소유경제와 공유경제가 이루고자 하는 선순환 공유경제를 이루고자 지금까지 왔기때문에 인간의 절대적인 욕망을 꺾을 수는 없다는 것입니다. 전쟁을 해서 이겨야 하는데 결국은 현실을 봐야 합니다. 지금 현재 경제 위기가 심각한 상황입니다. 결국 예측한 대로 심각해졌습니다. 내년에는 더 할까요? 네. 더할겁니다.

뉴스에서도 밥을 먹을 때에도 이자 걱정을 한다고 합니다. 불안과 공포가 극에 달했습니다. 팬데믹과 기후변화에 전쟁에 고물가 고금리의 여러가지로 지금은 심각한 경제 위기 속으로 들어

갔습니다. 치명적으로 피해를 입고 먹고 살기 힘들어진 계층을 보면 평범한 시민들 입니다. 이자 때문에 밤잠을 못자는 형편에 놓여 있습니다. 그리고 일자리를 잃게 되면 그 다음은 어떻게 될까요? 더 심각해 지게 됩니다. 그래서 이심각한 이 인류의 문제에 부딪치고 있습니다. 점점 가면 갈 수 록 더할것입니다.

이심각한 이현실의 문제에서 부딪치기 때문에 이제야 돈에 대한 본질을 생각하고 지금까지 이렇게 기술개발과 역사가 흘러왔기 때문에 그속에서 우리는 공유경제라는 것을 돈 이외에 다른것은 이미 하고 있었다는 것입니다. 그래서 이제는 인류가 많이 똑똑해지고 많이 현명해지고 스마트해 졌습니다. 이제는 알고 있습니다. 무엇을 원하는지 어떻게 해야 되는지를 알고 있습니다. 다만 스스로 혼자서는 못할 뿐이지요. 인류의 문제에 대해서 부딪혀 보고 너무나 간절한 상황에 이르렀기 때문에 사람들은 이제 일어나는 겁니다.

깨어나는 겁니다. 무엇을 할 수 있느냐 하면 중요한 페이 시스템에서 선순환 공유시스템을 하기 위해서는 세가지를 갖추고 있어야 합니다. 첫째는 독보적인 기술 둘째는 혁신적인 기술 셋째는 핀테크기술 입니다. 독보적이고 혁신적인 핀테크 기술은 돈을 보내면서 부터 결제를 하면서 생활비를 벌게 됩니다. 그러면 대박입니다. 기술력이 있는 기업이 등장해서 나는 그냥 이 생태계에 들어오기만 하면 내가 그냥 돈을 벌 수 있습니다. 그러면 사람들이 달라질 것입니다. 이 생태계는 빨리 확산될 수 있습니다. 그렇게 이지식을 알고 있는 사람들이 동참하게 되면서 원에코 시스템의 생태계가 확산될 수 있습니다. 확산된다는 것은 나뿐만 아니라 다른 이웃도 혜택을 누릴 수 있다는 것입니다. 일을 하는것이 아니라 물건을 사는 것이 아니라 내생활 패턴 그대로를 하는데 내가 돈을 벌 수 있는 것입니다. 이것은 기술력으로 해결해 주는 것입니다. 바로 독보적이고 혁신적인 핀테크 기술로 세계인들도 누릴 수 있도록 그 기술력을 바탕으로 하면은 점점더 확산되는 것입니다. 그러면 원에코시스템 생태계는 어떻게 되겠습니까?

점점 더 생태계는 확산되고 더 많은 사람들이 살아나는 것입니다. 바로 절박한 인류의 문제에 부딪쳤기 때문입니다. 이 절박한 인류의 문제에 부딪치지 않으면 이 본질을 알아낼 수가 없다는 것입니다. 절박한 현실의 문제에 부딪쳤기때문에 본질을 결국 알아내서 아하 돈의 본질이라는 것이 결국은 사람이 먹고사는 생명을 살리는 식량인 거구나 ! 돈은 권력을 주고 힘을주고 나눌 수 도 있고 쌓을 수 도 있고 내가 이것으로 통치 할 수 도 있는거구나 그런데 이것을 아는 자들에게는 돈을 나눠주는 사람들이 된다는 것입니다.

돈의 본질을 아는 사람에게 돈이 다 흘러들어가게 되는 것입니다. 그래서 깨어나서 그것을 구축해 놓은 것을 보고 사람들이 일어나는 것입니다. 그렇다면 이기술이 있느냐 없느냐가 관건입니다. 이기술이 바로 원에코시스템입니다. 우리 대한민국에 맞게 개발해 나가야 하는 것이 IMA님들의 의무입니다. 이기술을 가지고 있는데 왜 그동안 안되었을까? 그것은 우리 IMA님들이 정보를 듣고 깨어나야 합니다. 결국 절박해져야 본질을 알게 된다는 것입니다.

성공을 위한 첫걸음

이제 지금 일어나야 합니다. 정말로 먹고 사는 것에 부딪치다보니 그렇게 될것이라는 것이 드러나고 피부로 느껴지고 우리가 쳐다보는 우리도 너무나 안타깝고 막막하고 두렵고 그리고 공포스러움을 다같이 평범한 시민이 느꼈기 때문에 일어난다는 것입니다. 특별한 사람이 아닌 평범한 시민들이 개발되어있는 원에코시스템이 구동이 되고 작동이 되는 것입니다. 처음에는 소수가 다음에는 정보를 듣고 더 많은 사람들이 생태계에 들어오고 온국민이 잘살고 그 다음 세계인들이 잘살게 됩니다.

그 이유는 다 같이 어려웠기 때문에 가능한 일이 되었습니다. 옛날의 IMF 때처럼 그렇지 않습니다. IMF 경제지식도 없고 돈의 흐름도 모르고 그때 잘나간다고 확장했던 사람들이 다 망했습니다. 많은 사람들이 힘들어 지기 때문에 지금 일어나서 이것에 대한 정보를 듣고 나도 이웃도 많은 사람들이 할 수 있는 기회가 있기 때문에 원에코시스템 생태계에 빨리 들어올 수 있도록 기회를 만들어 줘야 합니다.

지금은 다른 것을 하면 안되고 이 정보 이 돈의 변화에 대한 정확한 정보를 듣고 특별한 사람들이 먼저 누리는 것이 아니라 평범한 사람들이 먼저 누려야 한다는 것입니다. 그 이유는 먹고 사는 일이 달려있기 때문입니다. 심각한 상황에 이르렀기 때문입니다. 이것은 구현해 낼 수 있는 사람들이 이 현실적인 문제에 부딪치다 보니까 일어나서 이것을 구동 시킬 수 있는 이 사태가 된것입니다. 이것이 구동이 되면서 더많이 공유하고 확산이 되는 것입니다.

그래서 선순환 공유경제가 실현되는 것입니다. 이 대한민국 땅에 한강의 기적을 이루고 인류 역사상 가장 짧은 기간 동안 최빈국에서 10대 경제대국이 된 기적의 역사를 다시한번 디지털 대전환의 시기에 인류의 절박한 문제를 해결하고 선순환 공유경제를 실현할 기업은 바로 스위스 본사 등록되어 있는 원에코시스템입니다. 이 가슴벅찬 소식을 우리 이웃들에게 전할 수 있기를 기대합니다.

4) 디지털 대전환시대

디지털 대전환은 1990년대 초반부터 시작된 것으로 알려져 있습니다. 이 시기에 인터넷과 컴퓨터 기술이 급속도로 발전하면서 사회 전반에 걸쳐 디지털화의 흐름이 일어났습니다. 디지털 대전환은 산업, 교육, 의료, 금융 등 다양한 분야에 영향을 미쳤으며, 그 결과 새로운 산업과 일자리가 창출되고 기존 산업과 일자리가 사라지기도 했습니다. 디지털 대전환은 현재까지도 진행 중이며, 앞으로도 그 영향력은 더욱 커질 것으로 예상됩니다.

이렇게 새로운 기술이 나오고 지금 우리가 사용하는 디지털기술도 원래는 군사용으로 사용했던 인터넷 기술입니다. 우리가 일상 생활에서 사용하고 있는 많은 편의 기술들이 원래는 군사 목적으로 사용했던 기술들이 민간으로 넘어온 기술들이 많습니다. 지금은 혜택을 보고 있지만 그 당시에는 전쟁등 안타까운 일들이 많았습니다. 지금 3차 산업혁명은 컴퓨터 정보화입니다.

성공을 위한 첫걸음

3차 산업혁명시대에 웹1.0과 웹2.0을 거쳐 웹3.0 시대에 진입을 하고 있습니다. 쉽게 말하면 정보를 검색하기 위해서 옛날에는 종이로된 신문을 많이 보셨을 겁니다. 신문과 뉴스 같은 경우에는 일방으로 전달만 되는 형태를 말합니다. 하지만 인터넷이 발명되고 인터넷으로 검색기능이 가능해지면서 누구나 정보를 검색할 수 있는 세상이 펼쳐지기 시작한 것입니다. 디지털 시대를 열은 것은 인터넷으로 볼수 있지만 4차 산업혁명 같은 경우에는 개념을 달리하고 있습니다. 4차 산업혁명에서 많이 들어본 핵심 개념은 인공지능, 사물인터넷, 자율주행차 등이 핵심적인 단어들입니다.

이런 것들이 나오면서 문제가 되는 것들이 생기기 시작했습니다.

정보화 시대가 마냥 좋기만 한것은 아닙니다. 왜냐하면 반대급부적으로 디지털 기술을 이용한 범죄가 많이 생기고 있습니다. 각종 해킹이라든가 농협뿐만아니라 은행들이 해킹을 당해 털리는 사례가 종종 있었습니다. 해킹방지 시스템을 보완하고 있지만 실제로 현재 금융시스템이나 컴퓨터 디지털 시스템은 해킹을 막기가 역부족입니다. 그래서 비트코인으로 인해서 발견된 블록체인이 그만큼 많은 관심과 각광을 받고 있는 것입니다. 블록체인 같은 경우에는 일반적으로 비트코인이나 암호화폐를 시작하는 분들이 단순하게 분산화된 암호화 원장기술로만 이해를 하고 있지만 실제로는 블록체인은 그이상의 기술입니다.

굉장히 적용범위가 넓음에도 불구하고 일반 사람들은 비트코인만 바라보고 있는 것입니다. 이것은 블록체인을 제대로 알지 못하는 것입니다. 블록체인은 결국 마트가서 물건을 사더라도 원산지를 표시하도록 되어있는데 블록체인 기술을 유통시스템에 적용시키면 원산지 표기를 거짓으로 할 수 가 없습니다. 바코드를 찍을 때 이미 저장되어 올라오기 때문에 위조를 할 수 없습니다. 새로운 아파트의 경우에 인터넷을 이용하여 가전제품들을 컨트롤하는 것이 사물인터넷 개념들입니다. 기존에 사용하던 인터넷 기반 정보시스템들을 그대로 이용하다 보면 해킹을 당할 수 있습니다.

도어락도 인터넷으로 열고 닫을 수 도 있는데 만약 해킹이 된다면 어떻게 되겠습니까? 집이 순식간에 털리게 되는 것입니다. 그렇기 때문에 사물인터넷도 결국에는 블록체인 기술을 적용시켜야 합니다. 지금은 아직 연구중이고 개발중이지만 결국은 블록체인 기술은 산업 전반에 거의 다 사용되어질 것으로 봅니다. 블록체인 기술은 오래 전부터 정부나 기관에서 많이 연구를 해왔기 때문에 탁월함에 대해서는 인정을 하고 있는 기술입니다. 문제는 암호화폐라고 불리는 민간 디지털 화폐에 대해서는 굉장히 반기를 드는 제도권들이 상당히 많은 현실입니다. 다 이유가 있는 것입니다. 결국 밥그릇을 뺏기지 않기위해 안간힘을 쓰고 있는 것입니다. 4차 산업혁명에 있어서 블록체인 기술은 없어서는 안될 필수적인 요소로 볼 수 있습니다. 어찌 보면 4차 산업혁명의 근간이 되는 기술이라고 볼 수 있습니다. 그래서 우리는 블록체인에 대해서 개념이라든지 공부를 할 필요가 있습니다. 우리 시스템을 보면 한마디로 은행시스템이라고 보시면 됩니다. 시스템을 아는 사람들이 우리 시스템을 보면 보통 자본으로 만들 수 있는 시스템이 아니라고 합니다. 비트코인 알고리즘이 공개 되면서부터 이더리움이 개발되고 다른 알트 코인들이 개발되기 시작하는 것입니다. 비트코인 블록체인은 초창기에 만들어진 원시적인 것입니다. 테스트 목적이나 대중들에게 새로운 금융네트워크 시스템이라는 전자적 화폐시스템이라는 것을 보여주기 위해서 온라인 상에 보여주면서 대중들에게 관심을 받게 된 것입니다.

나온 시기가 미국발 경제위기가 터지고 나서 보란 듯이 나왔다는 것입니다. 여러 가지 예측을 할 수 있지만 미리부터 디지털 화폐에 대한 준비를 하고 있었다는 것이 설득력을 얻고 있습니다. 디지털 화폐 시대를 위해서 준비를 해오지 않았을까 하는 판단이 듭니다. 블록체인 기술은 거래기록의 분산화 기능보다는 암호화 프로토콜이 적용된다는 것이 기존의 인터넷 시스템보다 특별하다는 것입니다. 다시 말해 해킹이 거의 불가능 하다고 봐야합니다.

비트코인이 10분에 한번씩 블록이 형성되는 비트코인 이라 많은 컴퓨터의 데이터를 아무리 뛰어난 해커라도 그시간 동안 변조 할 수 없다는 것입니다. 4차 산업혁명을 이끄는 인터넷이 새롭게 웹3.0 시대를 맞이하면서 가상현실 메타버스라는 개념들이 나오고 있습니다. 본격적으로 사회전반에 도입이 되면 점점 출근하는 사람들이 없어지게 될 것입니다. 이제 공장이나 집에서 일하던 것을 가상공간에 아바타가 일을하게 될 것입니다. 불과 얼마 걸리지 않아 현실이 될 것입니다. 벌써 공장 자동

화부터 시작하여 디지털 기술들로 인하여 대기업과 중소기업들도 대부분 플랫폼 사업으로 많이 전환을 하고 있습니다. 배달의 민족 앱을 이용하여 주문을 많이 하고 있을텐데 대표적인 플랫폼 사업입니다. 대기업에서 인력을 채용하여 사무실에 근무를 하도록 하여 년봉을 주는 시대에서 배민커넥트 같은 경우에 일반대중들이 아무나 참여하게 만들어서 최저시급만 주는 것입니다. 일자리가 사라지고 있어서 대중들이 이러한 곳에도 몰려들고 있는 것입니다. 대기업들은 경비 절감을 위해 플랫폼 산업으로 어쩔 수 없이 갈 수 밖에 없습니다.

당분간 디지털 대전환의 흐름은 계속 될 수 밖에 없는 것입니다. 원에코시스템은 탈중앙화 웹3.0 시대를 먼저 열어가고 있는 것입니다. 기업이 수익실현의 목적도 있지만 비용절감 목적도 있기 때문에 계속적으로 플랫폼 산업으로 바꿀 수 밖에 없는 것입니다. 디지털 시대가 열어가는 사업이기 때문입니다. 블록체인 기술은 디지털시대를 여는 핵심 키워드가 될 것입니다. 블록체인이 새롭게 바꾸는 산업은 금융까지 바꾸게 되는 것입니다.

많은 사람들이 암호화폐 시장에 들어와서 또한 원에코시스템 생태계에 들어와서 정작 내가 커뮤니티로 들어왔는데 내가 무엇을 해야 되는지를 모르시는 분들이 많이 있습니다. 왜냐하면 항상 일방적인 얘기만 들어왔기 때문에 회사가 알아서 해주겠지 하고 믿고 계시는 분들이 많이 있는데 그렇게 해서는 원에코시스템이 확장이 안됩니다.

원래는 비트코인처럼 개발자가 누군지도 모르는 익명의 사토시 나카모토라고 알려지기만 했지 아직도 누군지 찾을 수가 없습니

성공을 위한 첫걸음

다. 다시 말해 주체가 없는 것입니다. 주체가 없기 때문에 미국에 SEC가 증권으로 분류할 수 가 없는 것입니다. 왜냐하면 증권이라는 것은 증권법에 따르면 발행 주체가 있어야 합니다. 그래서 그냥 금융 상품으로 인정을 해버린 상태입니다. 비트코인도 시장에 나오면서 백서를 가만히 보면 비전을 제시한 것입니다. 금융시스템에 대하여 기존의 법정화폐 단점과 전통금융의 모순점을 가장 크게 세가지로 요약을 하면서 새로운 민간 금융네트워크를 형성해보자 하는 우리가 신뢰할 수 있는 돈을 우리가 직접 만들어서 금융시스템도 우리가 직접 만들어서 비트코인을 사용해 봅시다 하고 시장에 내놓은 것입니다.

처음에는 비트코인의 비전과 철학에 많은 사람들이 흥분을 했고 많은 인기를 얻었습니다. 문제는 비트코인에 대한 단점중에 하나는 채굴로 2100만개로 한정되어있는데 난이도가 올라갈 때마다 반감기라고 하는데 엄청나게 채굴 숫자가 줄어들어 채굴이 힘들어집니다. 비트코인의 경우에는 채굴 비용을 충당을 해야 하기 때문에 거래소를 운영하여 그 비용을 충당해온 것입니다. 채굴공장은 엄청난 전기료와 임대료가 엄청나게 발생하다 보니까 비용을 충당하기 위해서 만들어진 것이 거래소입니다.

왜 암호화폐 거래소가 나왔는지부터 사람들이 알아야 합니다. 결국 채굴비용을 충당하기 위해서 거래소에서 사고 팔게 만들었던 것입니다. 그리고 암호화폐 비트코인 라이트코인 리플기사들을 자주 보신분들은 알고 계시겠지만 거의 90%이상이 여론몰이를 해온 것입니다. 거기에 휩쓸리면 안됩니다. 지금도 여전히 비트코인이 얼마간다고 하고 이번에 리플이 승소하니까 언론들이 난리를 칩니다. 바닥치고 있다가 30%이상 상승을 했다.철저한 자본주의 논리에 의해서 민간 거래소 시스템이 돌아가고 있는 것입니다. 자본주의 세력 금융자본주의가 거래소에 들어오면서 가치의 교환의 개념이 사라지고 그냥 돈 놓고 돈먹기 하는 식으로 전락해 버린 것입니다. 결국은 여론을 움직일 수 밖에 없는 처지에 놓이게 되어버린 것입니다. 기사들이 사람들의 욕심을 자극하는 기사들을 많이 써서 비트코인과 알트 코인 시장으로 많이 끌어 들인 것이다. 대중들은 암호화폐 시장에 대하여 제대로 공부한 사람들이 없었기 때문에 비트코인으로 누가 얼마를 벌었다고 하지만 실제적으로는 극히 소수에 불과했지만 너도 나도 다들어간 것입니다. 그동안 비트코인은 세 번의 급락이 있었습니다. 한국 시장에서 겪은 것은 두 번인데 유럽 서구시장에서는 이미 한번 먼저 겪었던 것입니다. 결국 3번의 반감기를 통해 급등락으로 수익을 올린 사람보다 피해를 본사람이 훨씬 많습니다. 결국 철저한 자본주의 논리입니다. 미국에 에덤스미스는 한명의 부자가 만들어 지려면 500명의 노예가 필요하다는 말을 했습니다. 비트코인을 가지고 있던 사람들도 많지만 그중에는 손해를 보신분들이 또한 대부분 이라는 사실입니다. 이유는 거래소 시스템으로 들어가는 순간 비트코인을 사고 팔고하게 만들기 때문에 그대로 가지고 있는 사람들이 거의 없습니다. 결국 돈을 버는 사람들은 금융세력들이나 금융기관들 그리고 거래소들이 돈을 버는 것입니다. 거래소들은 수수료를 벌고 상장피를 받아서 돈을 버는 것입니다. 악순환이 계속되어 코인을 만들 때 로드맵은 관심도 없고 상장후에는 나몰라라 하는식으로 돈만벌고 떠나는 아무런 가치를 만들지 못하는 악순환이 지금도 반복되고 있는 것입니다. 유럽은 우리보다 먼저 비트코인을 경험했기 때문에 훨씬더 암호화폐에 대한 시선이 차갑습니다. 암호화폐는 처음부터 잘못 시작을 했기 때문입니다. 암호화폐의 기준이라고 할 수 있는 암호화폐는 여전히 아직도 보이지 않고 있습니다. 비트코인은 이미 상품으로 판단했기 때문에 비트코인은 이미 화폐가 될 수 없는 것입니다. 원래 암호화폐가 세상에 나온 이유가 있습니다. 그런데 대부분의 암호화폐들이 못찾고 있는 것입니다. 디지털 대전환은 실제 생활에서 다 느끼고 있는 것입니다. 불과 20년 전만해도 과거에 자동차에 도로교통 지도 하나씩은 가지고 다녔습니다. 지금은 네비게이션이나 스마트폰으로 네비게이션 기능을 이용하고 있습니다. 불과 20년만에 지도가 사라졌고 세상이 빠르게 변화된 것이지요. 또 대형매장에 가거나 맥도날드 매장에 가면은 이제 결제하는데 키오스크가 대표적인 결제시스템의 변화입니다.혁명을 불러오고 있는 것입니다. 현재는 키오스크에 신용카드나 스마트폰으로 결제를 하는데 이제 조만간 키오스크에 있는 카메라로 얼굴인식이나 지문인식으로 결제하는 시스템으로 바뀌게 될것입니다. 이러한 변화는 CBDC가 나온 이후에 진행할 가능성이 굉장히 높습니다. 이미 중국 같은 경우에는 디지털 위안화가 상용화가 이미 들어간 상태에서 우리보다 더빨리 디지털화가 진행되고 있습니다. 중국이 이렇게 결재 시스템에서 빨라진 이유는 결정적으로 중국은 신용카드를 쓰는 국가가 아니다 보니 바로 페이 시스템으로 넘어간 국가입니다. 알리페이가 널리 보급된 나라입니다. 중국은

2014년부터 디지털 위안화를 연구하고 개발을 시작을 했는데 실제적으로 디지털 위안화를 개발하고 연구하도록 촉진시킨 것은 암호화폐입니다. 중국은 처음부터 중국본토에서 거래소를 못하게 하고 2018년 부터는 채굴까지 금지를 시킨나라입니다. 그이유는 자신들이 만든 디지털 위안화의 보급을 확대하여 역량을 키우기 위해서 애초부터 비트코인 거래를 금지시켜 왔던 것입니다.

처음부터 원(ONE)을 공부할 때도 제도권이 규제를 만들어야 암호화폐 시장이 성장을 할 수 있다는 예상을 했었습니다. 이번에 유럽연합에서 발표한 미카(MiCA) 법률이 의미가 굉장히 큽니다. 저도 이법을 기다려 왔습니다. 특히 원에코시스템은 유럽에 기반을 둔 암호화폐 회사이기 때문에 유럽연합에서 만든 법에 맞춰줘야 하는 것입니다. 미카법에 맞지 않으면 아무런 의미가 없는 것인데 한국개발회의에서 CEO가 원에코시스템은 미카법에 적합하게 개발되었다고 발표를 했기 때문에 대박인 것입니다. 다행스럽게도 미카법안은 2023년 유럽의회와 이사회를 통과하여 2024년 6월에 시행을 앞두고 있습니다. 미카법안은 좀더 깊이 있게 세부 내용을 파악해 볼 필요가 있습니다. 디지털 대전환의 시대는 격변의 시대에 우리가 살고 있습니다. 이제 우리는 디지털 시대에 적응하기 위해 공부를 하고 노력을 해야 합니다. 세상의 기술변화는 엄청나게 빠르게 변화하고 있기 때문에 사람들이 기술의 변화를 따라가지 못하는 것입니다. 그렇기 때문에 나한테 필요한 것이 있으면 주저하지 말고 하나씩 배우셔야 합니다. 우리 원에코시스템을 보면 은행시스템, 금융시스템 이라고 보시면 됩니다. 기본적으로 계정을 보고 코인을 보낼 수 있으면 되는 것입니다. 익숙해지시면 그렇게 어렵지는 않습니다. 디지털 시대는 살아감에 있어서 불편함을 편하게 하는 것입니다. 남들보다 먼저 움직여서 새로운 것을 배우고 호기심을 가지고 하나씩 배워가는 마인드가 필요한 것입니다.

한국, IMF 디지털화폐 컨퍼런스 개최

한국과 IMF는 2017년 이후 6년 만에 공동으로 '디지털 화폐: 변화하는 금융환경 탐색'을 주제로 국제 컨퍼런스를 개최했습니다. 컨퍼런스는 2023년 12월 14일과 15일 양일간 서울 종로구 포시즌스 호텔에서 진행되었으며, 추경호 부총리 겸 기획재정부 장관, 게오르기에바 IMF 총재, 이창용 한국은행 총재, 김소영 금융위원회 부위원장 등 공동 주관기관의 최고위급 인사와 국내외 디지털 화폐 전문가들이 참석했습니다.

주요 논의 내용을 요약하면 다음과 같습니다.

디지털 화폐는 기존 금융체계에 큰 변화를 가져올 수 있는 잠재력을 가지고 있습니다. 디지털 화폐는 기존 화폐에 비해 더 안전하고 효율적이며 편리한 결제 수단이 될 수 있습니다. 또한, 디지털 화폐는 금융 포용성 확대, 금융 안정성 제고, 새로운 금융 서비스

창출 등 다양한 측면에서 긍정적인 영향을 미칠 수 있습니다.

중앙은행 디지털 통화(CBDC)는 디지털 화폐의 한 형태로, 중앙은행이 발행하는 디지털 화폐입니다. CBDC는 기존 화폐와 같은 법적 지위를 가지고 있으며, 통화 정책의 수단으로 활용될 수 있습니다. CBDC는 현재 전 세계적으로 다양한 국가에서 연구 및 개발 중입니다.

디지털 화폐는 적절한 규제 없이는 부작용을 초래할 수 있습니다. 디지털 화폐는 기존 화폐에 비해 더 쉽게 위조 및 변조될 수 있고, 자금세탁 등 범죄에 악용될 수 있습니다. 따라서 디지털 화폐는 사기, 자금세탁, 테러 자금 조달 등 부작용을 예방하기 위한 적절한 규제가 필요합니다.

컨퍼런스 참석자들은 디지털 화폐가 미래 금융의 중요한 화두로 부상할 것으로 전망하고, 디지털 화폐의 도입과 확산에 대비한 정책적 준비와 연구가 필요하다는 데 의견을 모았습니다.

디파이금융과 디지털화폐시대

3. 디파이금융과 디지털화폐시대

디파이금융(DeFi)은 탈중앙화 금융을 의미합니다. 디파이금융은 기존 금융 시스템과 달리 중앙 기관의 통제를 받지 않는 금융 시스템입니다. 디파이금융은 블록체인 기술을 기반으로 하며, 암호화폐를 활용합니다.

디파이금융은 기존 금융 시스템의 문제점을 해결할 수 있는 잠재력이 있습니다. 즉, 기존 금융 시스템의 높은 수수료와 복잡한 절차를 단순화하고, 금융 접근성을 확대할 수 있습니다.

디파이금융은 아직 초기 단계에 있지만, 빠르게 성장하고 있습니다. 2022년 기준으로 디파이금융 시장 규모는 약 2,000억 달러에 달합니다.

디지털화폐시대는 암호화폐와 디파이금융이 주도하는 시대입니다. 디지털화폐시대는 기존 금융 시스템을 근본적으로 변화시킬 잠재력이 있습니다.

4. 디지털화폐시대의 전망

디지털화폐시대의 전망은 밝습니다. 암호화폐와 디파이금융의 기술적 발전과 함께, 디지털화폐시대는 더욱 빠르게 도래할 것입니다.

디지털화폐시대는 다음과 같은 변화를 가져올 것입니다.

- 금융 접근성 확대: 암호화폐와 디파이금융은 기존 금융 시스템의 복잡한 절차와 높은 수수료를 단순화함으로써 금융 접근성을 확대할 것입니다.
- 금융 혁신: 암호화폐와 디파이금융은 기존 금융 시스템의 문제점을 해결하고, 새로운 금융 상품과 서비스를 창출함으로써 금융 혁신을 가져올 것입니다.
- 국가 주권의 변화: 암호화폐는 국가가 발행하지 않는 화폐입니다. 따라서 디지털화폐시대는 국가 주권의 변화를 가져올 가능성도 있습니다.

디지털화폐시대는 다가올 미래의 화폐와 금융 시스템의 모습을 보여주는 시대입니다.

5. 비트코인

비트코인은 2009년 사토시 나카모토라는 익명의 개발자가 개발한 암호화폐입니다. 비트코인은 블록체인 기술을 기반으로 하는 디지털 화폐입니다. 블록체인 기술은 거래 정보를 분산 저장하고 해킹을 방지하는 기술입니다.

비트코인은 기존 화폐와 달리 중앙 기관의 통제를 받지 않습니다. 따라서 정부의 통제에서 자유롭고, 더 안전하고 효율적이라는 장점이 있습니다.

비트코인은 등장 이후 급속도로 성장했습니다. 2023년 7월 20일 기준으로 비트코인의 시가 총액은 약 1조 달러에 달합니다.

6. 블록체인

블록체인은 비트코인을 비롯한 암호화폐의 기반 기술입니다. 블록체인은 거래 정보를 분산 저장하고 해킹을 방지하는 기술입니다.

블록체인은 다음과 같은 특징을 가지고 있습니다.
- 분산 저장: 블록체인 네트워크에 참여하는 모든 노드가 거래 정보를 저장합니다. 따라서 특정 기관이나 개인이 거래 정보를 독점할 수 없습니다.
- 보안성: 블록체인은 복잡한 수학적 알고리즘을 사용하여 거래 정보를 보호합니다. 따라서 해킹이 매우 어렵습니다.
- 투명성: 블록체인 네트워크에 참여하는 모든 사람은 거래 정보를 확인할 수 있습니다. 따라서 투명성과 신뢰성을 높일 수

있습니다.

블록체인은 암호화폐 외에도 다양한 분야에서 활용될 수 있는 잠재력을 가지고 있습니다. 예를 들어, 블록체인은 다음과 같은 분야에서 활용될 수 있습니다.

- 분산 금융 (DeFi): 블록체인은 기존 금융 시스템과 달리 중앙 기관의 통제를 받지 않는 분산 금융 시스템을 구현할 수 있습니다.
- 공급망 관리: 블록체인은 공급망의 투명성과 효율성을 높이는 데 활용될 수 있습니다.
- 전자투표: 블록체인은 전자투표의 보안성과 신뢰성을 높이는 데 활용될 수 있습니다.

블록체인 기술은 아직 초기 단계에 있지만, 빠르게 발전하고 있습니다. 블록체인 기술이 발전함에 따라 우리 사회는 많은 변화를 겪을 것으로 예상됩니다.

블록체인과 중앙은행

블록체인이란 무엇인가? :

블록체인은 분산형 원장 기술의 한 형태로, 거래 내역을 블록에 기록하고 여러 대의 컴퓨터에 분산 저장하는 기술입니다. 블록체인은 거래 내역을 위조하거나 변조하기 어렵기 때문에 투명성과 보안성이 뛰어나다는 특징이 있습니다.

블록체인은 암호화폐인 비트코인에 처음 사용되었지만, 현재는 금융, 물류, 의료, 정부 등 다양한 분야에서 활용되고 있습니다. 블록체인은 기존의 시스템보다 효율적이고 안전한 시스템을 제공하기 때문에, 앞으로 더욱 광범위하게 활용될 것으로 기대됩니다.

블록체인의 주요 특징은 다음과 같습니다.

- 분산형: 블록체인은 여러 대의 컴퓨터에 분산 저장되기 때문에, 특정 기관이나 개인이 통제할 수 없습니다.

- 투명성: 블록체인에 기록된 거래 내역은 누구나 확인할 수 있습니다.
- 보안성: 블록체인은 거래 내역을 위조하거나 변조하기 어렵기 때문에, 보안성이 뛰어납니다.
- 효율성: 블록체인은 중개자를 필요로 하지 않기 때문에, 기존의 시스템보다 효율적입니다.

블록체인은 아직 초기 단계에 있지만, 다양한 분야에서 활용될 가능성이 매우 높습니다. 블록체인은 기존의 시스템보다 효율적이고 안전한 시스템을 제공하기 때문에, 앞으로 더욱 광범위하게 활용될 것으로 기대됩니다.

1) 프라이빗 블록체인 :

프라이빗 블록체인은 블록체인의 한 형태로, 특정 기관이나 기업이 소유하고 관리하는 블록체인입니다. 프라이빗 블록체인은 퍼블릭 블록체인과 달리 누구나 참여할 수 없고, 참여자들은 블록체인에 대한 접근 권한을 제한할 수 있습니다. 또한, 프라이빗 블록체인은 퍼블릭 블록체인보다 보안성과 효율성이 뛰어납니다.

프라이빗 블록체인은 금융, 물류, 의료, 정부 등 다양한 분야에서 활용되고 있습니다. 예를 들어, 금융 분야에서는 프라이빗 블록체인을 사용하여 송금, 결제, 자금 관리 등의 업무를 처리하고 있습니다. 물류 분야에서는 프라이빗 블록체인을 사용하여 물품의 이동을 추적하고, 의료 분야에서는 프라이빗 블록체인을 사용하여 환자의 의료 기록을 관리하고 있습니다. 정부 분야에서는 프라이빗 블록체인을 사용하여 투표, 공무원 관리 등의 업무를 처리하고 있습니다.

프라이빗 블록체인은 기존의 시스템보다 효율적이고 안전한 시스템을 제공하기 때문에, 앞으로 더욱 광범위하게 활용될 것으로 기대됩니다.

2) 퍼블릭블록체인 :

퍼블릭 블록체인은 블록체인의 한 형태로, 누구나 참여할 수 있는 블록체인입니다. 퍼블릭 블록체인은 프라이빗 블록체인과 달리 특정 기관이나 기업이 소유하고 관리하지 않으며, 누구나 블록체인에 대한 접근 권한을 가질 수 있습니다. 또한, 퍼블릭 블록체인은 프라이빗 블록체인보다 보안성이 떨어지지만, 투명성이 높습니다.

퍼블릭 블록체인은 암호화폐인 비트코인에 처음 사용되었지만, 현재는 금융, 물류, 의료, 정부 등 다양한 분야에서 활용되고 있습니다. 퍼블릭 블록체인은 기존의 시스템보다 효율적이고 안전한 시스템을 제공하기 때문에, 앞으로 더욱 광범위하게 활용될 것으로 기대됩니다.

퍼블릭 블록체인은 다음과 같은 특징을 가지고 있습니다.

누구나 참여할 수 있습니다.

특정 기관이나 기업이 소유하고 관리하지 않습니다.

누구나 블록체인에 대한 접근 권한을 가질 수 있습니다.

보안성이 떨어지지만, 투명성이 높습니다.

퍼블릭 블록체인은 기존의 시스템보다 효율적이고 안전한 시스템을 제공하기 때문에, 앞으로 더욱 광범위하게 활용될 것으로 기대됩니다.

 3) 하이브리드 블록체인 :

하이브리드 블록체인은 퍼블릭 블록체인과 프라이빗 블록체인의 특징을 모두 갖춘 블록체인입니다. 하이브리드 블록체인은 퍼블릭 블록체인과 프라이빗 블록체인의 장점만을 취하고 단점을 보완한 블록체인입니다.

하이브리드 블록체인은 금융, 물류, 의료, 정부 등 다양한 분야에서 활용되고 있습니다. 예를 들어, 금융 분야에서는 하이브리드 블록체인을 사용하여 송금, 결제, 자금 관리 등의 업무를 처리하고 있습니다. 물류 분야에서는 하이브리드 블록체인을 사용하여 물품의 이동을 추적하고, 의료 분야에서는 하이브리드 블록체인을 사용하여 환자의 의료 기록을 관리하고 있습니다. 정부 분야에서는 하이브리드 블록체인을 사용하여 투표, 공무원 관리 등의 업무를 처리하고 있습니다.

성공을 위한 첫걸음

하이브리드 블록체인은 기존의 시스템보다 효율적이고 안전한 시스템을 제공하기 때문에, 앞으로 더욱 광범위하게 활용될 것으로 기대됩니다.

하이브리드 블록체인은 다음과 같은 특징을 가지고 있습니다.

퍼블릭 블록체인과 프라이빗 블록체인의 장점만을 취하고 단점을 보완합니다.

금융, 물류, 의료, 정부 등 다양한 분야에서 활용됩니다.

기존의 시스템보다 효율적이고 안전한 시스템을 제공합니다.

하이브리드 블록체인은 앞으로 더욱 광범위하게 활용될 것으로 기대됩니다.

4) 스테이블코인 :

스테이블코인은 달러화 등 기존 화폐에 고정 가치로 발행되는 암호화폐를 말합니다. 스테이블코인은 가격 변동성이 크고, 사용이 불편한 기존의 암호화폐의 단점을 보완하기 위해 개발되었습니다.

스테이블코인은 다음과 같은 방법으로 가격을 안정화합니다.

법정화폐를 담보로 발행합니다.

법정화폐에 연동된 파생상품을 담보로 발행합니다.

알고리즘을 사용하여 가격을 조정합니다.

스테이블코인은 다음과 같은 장점이 있습니다.

가격 변동성이 적습니다.
사용이 편리합니다.
기존의 화폐 시스템을 보완할 수 있습니다.
스테이블코인은 아직 초기 단계에 있지만, 기존의 화폐 시스템을 보완할 수 있는 잠재력이 있습니다. 스테이블코인은 앞으로 더욱 광범위하게 활용될 것으로 기대됩니다.

 5) 중앙은행 발행 CBDC :

중앙은행 디지털 화폐(CBDC)는 중앙은행이 발행하는 디지털 화폐입니다. CBDC는 기존의 화폐와 달리 디지털 형태로 존재하기 때문에, 기존의 화폐보다 효율적이고 안전한 시스템을 제공할 수 있습니다.

CBDC는 다음과 같은 장점이 있습니다.

효율적입니다. CBDC는 중개자를 필요로 하지 않기 때문에, 기존의 시스템보다 효율적입니다.
안전합니다. CBDC는 블록체인 기술을 사용하여 거래 내역을 기록하기 때문에, 기존의 시스템보다 안전합니다.
편리합니다. CBDC는 디지털 형태로 존재하기 때문에, 기존의 화폐보다 편리하게 사용할 수 있습니다.

CBDC는 아직 초기 단계에 있지만, 기존의 화폐 시스템을 보완할 수 있는 잠재력이 있습니다. CBDC는 앞으로 더욱 광범위하게 활용될 것으로 기대됩니다.

디파이, 세파이, 하이브리드

6) 디파이(DeFi), 세파이(CeFi). 하이브리드 대하여

탈중앙화 금융(DeFi)은 중앙 기관의 중개 없이 블록체인 기술을 사용하여 금융 서비스를 제공하는 금융 시스템입니다. 세파이(CeFi)는 중앙 기관이 중개하는 기존의 금융 시스템입니다. 하이브리드 디파이는 탈중앙화 금융과 중앙 집중식 금융의 장점을 결합한 금융 시스템입니다.

하이브리드 디파이는 다음과 같은 장점이 있습니다.

탈중앙화 금융의 장점인 보안성과 효율성을 제공합니다.
중앙 집중식 금융의 장점인 사용자 편의성과 접근성을 제공합니다.
하이브리드 디파이는 아직 초기 단계에 있지만, 기존의 금융 시스템을 보완할 수 있는 잠재력이 있습니다. 하이브리드 디파이는 앞으로 더욱 광범위하게 활용될 것으로 기대됩니다.

성공을 위한 첫걸음

하이브리드 디파이의 예로는 다음과 같은 것들이 있습니다.

중앙 기관이 보증하는 스테이블 코인
중앙 기관이 제공하는 디파이 거래소
중앙 기관이 제공하는 디파이 대출 플랫폼
하이브리드 디파이는 탈중앙화 금융의 장점인 보안성과 효율성을 제공하면서, 중앙 집중식 금융의 장점인 사용자 편의성과 접근성을 제공합니다. 하이브리드 디파이는 기존의 금융 시스템을 보완할 수 있는 잠재력이 있습니다.

 가) 디파이 장.단점
탈중앙화 금융(DeFi)은 중앙 기관의 중개 없이 블록체인 기술을 사용하여 금융 서비스를 제공하는 것을 말합니다. DeFi는 기존 금융 시스템의 문제점을 해결할 수 있는 잠재력을 가지고 있습니다.

DeFi의 장점은 다음과 같습니다.

중앙 기관의 중개가 필요하지 않으므로 수수료가 저렴합니다.
기존 금융 시스템에 비해 거래가 빠르고 편리합니다.
기존 금융 시스템에 비해 투명하고 안전합니다.
기존 금융 시스템에 비해 누구나 쉽게 접근할 수 있습니다.
DeFi의 단점은 다음과 같습니다.

아직 초기 단계에 있어 기술적 한계가 있습니다.
규제가 미비하여 보안 위협에 노출될 수 있습니다.
가격 변동성이 크므로 투자에 위험을 초래할 수 있습니다.
DeFi는 아직 초기 단계에 있지만, 잠재력이 매우 큰 기술입니다. DeFi는 기존 금융 시스템의 문제점을 해결하고, 새로운 금융 생태계를 구축할 수 있는 잠재력을 가지고 있습니다.

나) 세파이 장.단점
세파이(CeFi)는 중앙화 금융(CeFi)의 줄임말로, 중앙 기관의 중개를 통해 블록체인 기술을 사용하여 금융 서비스를 제공하는 것을 말합니다. 세파이는 DeFi와 달리 중앙 기관의 중개가 필요하므로 수수료가 다소 높습니다. 그러나, DeFi와 달리 규제가 미비하지 않아 보안 위협에 노출될 위험이 적습니다. 또한, 가격 변동성이 적어 투자에 위험을 초래할 가능성이 적습니다.

세파이의 장점은 다음과 같습니다.

규제가 미비하지 않아 보안 위협에 노출될 위험이 적습니다.
가격 변동성이 적어 투자에 위험을 초래할 가능성이 적습니다.
중앙 기관의 중개가 가능하므로 DeFi보다 사용이 편리합니다.
세파이의 단점은 다음과 같습니다.

중앙 기관의 중개가 필요하므로 수수료가 다소 높습니다.
DeFi에 비해 거래가 느리고 불편합니다.

성공을 위한 첫걸음

DeFi에 비해 투명성이 떨어집니다.

DeFi에 비해 누구나 쉽게 접근할 수 없습니다.

세파이는 DeFi와 달리 중앙 기관의 중개가 필요하므로 수수료가 다소 높습니다. 그러나, DeFi와 달리 규제가 미비하지 않아 보안 위협에 노출될 위험이 적습니다. 또한, 가격 변동성이 적어 투자에 위험을 초래할 가능성이 적습니다.

다) 혼합형 하이브리드

혼합형(하이브리드) 금융은 중앙화 금융(CeFi)과 탈중앙화 금융(DeFi)의 장점을 결합한 금융입니다. 혼합형 금융은 중앙 기관의 중개를 통해 블록체인 기술을 사용하여 금융 서비스를 제공합니다.

혼합형 금융의 장점은 다음과 같습니다.

DeFi의 장점인 수수료가 저렴하고, 거래가 빠르고, 투명하고, 누구나 쉽게 접근할 수 있는 장점을 가지고 있습니다.

CeFi의 장점인 규제가 미비하지 않아 보안 위협에 노출될 위험이 적고, 가격 변동성이 적은 장점을 가지고 있습니다.

혼합형 금융의 단점은 다음과 같습니다.

DeFi와 CeFi의 장점을 모두 가지고 있지만, 두 장점을 결합하는 과정에서 발생하는 비용이 발생할 수 있습니다.

DeFi와 CeFi의 장점을 모두 가지고 있지만, 두 장점을 결합하는 과정에서 발생하는 기술적 한계가 있을 수 있습니다.

혼합형 금융은 DeFi와 CeFi의 장점을 결합한 금융으로, DeFi와 CeFi의 장점을 모두 가지고 있습니다. 그러나, DeFi와 CeFi의 장점을 결합하는 과정에서 발생하는 비용과 기술적 한계가 있습니다.

웹3.0은 탈중앙화 블록체인 기술을 기반으로 하는 차세대 인터넷입니다. 웹3.0은 웹2.0의 단점을 보완하고, 사용자에게 더 많은 권한을 부여하는 것을 목표로 합니다.

웹3.0의 특징은 다음과 같습니다.

- 탈중앙화: 웹3.0은 중앙집중식 서버에 의존하지 않고, 블록체인 기술을 사용하여 분산된 네트워크를 기반으로 합니다.
- 보안성: 웹3.0은 블록체인 기술을 사용하여 데이터를 안전하게 저장하고 전송합니다.
- 투명성: 웹3.0은 블록체인 기술을 사용하여 모든 거래 내역을 투명하게 공개합니다.
- 사용자 주권: 웹3.0은 사용자에게 더 많은 권한을 부여하여 사용자의 데이터를 사용자 자신이 소유하고 관리할 수 있도록 합니다.

웹3.0은 아직 초기 단계에 있지만, 기존의 인터넷을 혁신할 수 있는 잠재력이 있습니다. 웹3.0은 사용자에게 더 많은 권한을 부

성공을 위한 첫걸음

여하고, 더 안전하고 투명한 인터넷을 제공할 수 있습니다.

라) 퍼블릭블록체인 사용의 주요 이점은 무엇입니까?

ONE은 설립 이후 프라이빗 블록체인을 사용해 왔습니다. 프라이빗 블록체인은 단일 조직만이 네트워크에 대한 권한을 갖는 특정 유형의 블록체인 기술입니다. 따라서 대중이 참여할 수 없도록 공개되어 있습니다. 그리고 우리는 높은 보안 및 효율성, 완전한 프라이버시, 낮은 수수료 등 프라이빗 블록체인의 이점을 의심하지 않습니다.

반면 퍼블릭 블록체인 네트워크는 누구나 원할 때 언제든지 가입할 수 있는 네트워크입니다. 참여 시 제한은 없습니다. 더욱이 누구나 원장을 보고 합의 과정에 참여할 수 있습니다.

퍼블릭 블록체인의 가장 좋은 점은 모든 참여자가 무슨 일이 있어도 동등한 권리를 갖는다는 것입니다. 사람들은 참여하고, 합의에 참여하고, 동료와 거래할 수 있습니다. 퍼블릭 블록체인 기술은 최고 수준의 보안을 제공합니다. 누구나 장부를 볼 수 있으므로 투명성이 유지됩니다.

(1) 높은 보안

Polygon 퍼블릭 블록체인은 완벽한 보안을 제공합니다. 실제로 매일 기업과 조직은 온라인 해킹을 처리합니다. 시간이 지날수록 큰 걸림돌이 되고 있습니다. 또한 매년 수십억 달러의 손실을 초래합니다. 그러나 퍼블릭 블록체인의 모든 보안 프로토콜을 사용하면 직면한 모든 해킹 문제를 신속하게 중지하고 모든 프로젝트에 대한 실제 가치 또는 더 나은 데이터 품질을 보장할 수 있습니다.

(2) 열린환경
퍼블릭 블록체인은 그 이름처럼 모두에게 열려 있습니다. 따라서 거주 지역에 상관없이 이러한 플랫폼에 로그인할 수 있습니다. 따라서 블록체인 기술의 모든 이점을 항상 누릴 수 있습니다. 또한 안전한 환경에서 거래하는 데 사용할 수 있습니다.

(3) 익명성
이것은 대부분의 사용자가 좋아하는 퍼블릭 블록체인의 가장 좋은 기능 중 하나입니다. 여기에서는 모든 사람이 익명입니다. 퍼블릭 체인에서 실명이나 개인 신원을 사용하지 않습니다. 모든 것이 숨겨져 있고 아무도 그것을 기반으로 당신을 추적할 수 없습니다.

퍼블릭 도메인이므로 이 기능은 주로 개인 소유물의 안전을 위한 것입니다. 하지만 이는 퍼블릭 블록체인의 단점이기도 합니다. 따라서 우리의 ONE ECOSYSTEM 플랫폼에서는 KYC와 데이터를 보관하고 로그인하면 모든 거래가 신원과 관련됩니다. 여전히 퍼블릭 체인 외부에서는 거래가 익명입니다.

(4) 진정한 탈중앙화

퍼블릭 블록체인에서는 진정한 탈중앙화를 얻을 수 있습니다. 프라이빗 블록체인 네트워크에는 없습니다. 모든 사람이 원장의 사본을 가지고 있기 때문에 분산적 성격도 만들어집니다. 기본적으로 이러한 유형의 블록체인에는 중앙 집중식 엔터티가 없습니다. 따라서 네트워크를 유지 관리하는 책임은 전적으로 노드에 있습니다. 합의 알고리즘의 도움으로 원장을 업데이트하고 공정성을 촉진합니다.

(5) 완전한 투명성

완전히 투명한 플랫폼을 다른 어떤 것과도 비교할 수 없습니다. 퍼블릭 블록체인 회사는 원장에 있는 누구에게나 완전히 투명하도록 플랫폼을 설계합니다. 언제든지 원장을 볼 수 있다는 뜻입니다. 따라서 부패나 불일치에 대한 범위가 없습니다. 어쨌든 모두가 원장을 유지하고 합의에 참여해야 합니다.

(6) 불변성

퍼블릭 블록체인 네트워크는 완전히 변경할 수 없습니다. 그러나 그것은 무엇을 의미합니까? 즉, 블록이 체인에 올라오면 변경하거나 삭제할 방법이 없습니다. 따라서 아무도 특정 블록을 변경할 수 없도록 하고 다른 사람으로부터 혜택을 받을 수 있도록 합니다.

(7) 완전한 사용자 권한 부여

모든 네트워크에서 사용자는 많은 규칙과 규정을 따라야 합니다. 많은 경우 관행이 공정하지 않을 수도 있습니다. 그러나 퍼블릭 블록체인 네트워크에서는 그렇지 않습니다. 여기에서 모든 사용자는 자신의 움직임을 검토할 수 있는 중앙 권한이 없기 때문에 권한이 부여됩니다. 이러한 플랫폼은 대중에게 공개되어 있으므로 어떤 기업도 노드를 다운로드하고 합의에 참여하는 것을 막을 수 없습니다.

가상화폐 거래 절대 손해보지 않는 7가지 비법
첫째 목적이 명확한가? 예를 들어 미래지불수단, 화폐로 탄생했다.
둘째 백서가 있는가? 사업계획서에 로드맵과 기술이 명확한가?
셋째 프로젝트가 진행되고 있는가?
넷째 법적으로 문제가 없는가? 예를 들어 우리나라 특금법, 가상지산 기본법, 유럽의 미카법
다섯째 블록체인 기술과 명확하게 탈중앙화 기술을 사용하고있는가?
여섯째 운영하는 주체가 있는가? 예를 들어 본사 및 운영사무소가 있는지 확인한다.
일곱 번째 실물에 사용할 수 있는 쇼핑몰 플랫폼 거래실적을 확인한다.

성공을 위한 첫걸음

PART 2

실전 투자 전략

어째서 ONE ECOSYSTEM인가?

원에코시스템

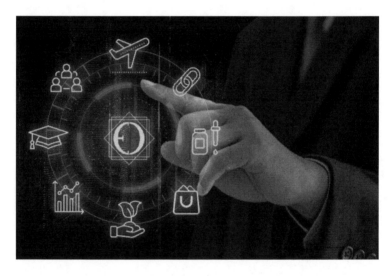

ONE ECOSYSTEM은 스위스에 등록되어 본사를 둔 글로벌 교육 회사입니다. 현재 ONE ECOSYSTEM의 운영 사무소는 불가리아 소피아 중심부에 위치하고 있습니다.

회사의 사업은 다양한 주제, 수준 및 가격으로 교육 모듈을 판매하여 교육과 지식을 제공하는 데 중점을 두고 있습니다. 우리는 회사의 사업을 네트워크 마케팅 사업으로 간주하는 6개 대륙에 있는 사람들의 글로벌 네트워크를 통해 제품을 판매합니다.

ONE ECOSYSTEM은 전 세계 사람들이 지식과 기술을 기반으로 한 교육에 접근할 수 있는 기회를 창출하는 데 강점과 노력을 집중하고 있습니다. 우리는 교육받은 사람들의 강력한 네트워크를 구축하고, 이를 통해 좋은 비즈니스 환경과 자기계발 및 기업가 정신을 위한 기회를 만들고, 사람들의 삶의 질을 향상시키기 위해 노력합니다.

우리는 성공적인 비즈니스 모델을 구축하여 사람들에게 글로벌 네트워크에 참여할 수 있는 기회를 제공합니다. 다른 직업과 비교하여 우리 모델은 다양한 이점을 제안합니다.

재정적 목표를 설정하세요
자신의 사업을 운영할 기회
개인 개발
개인 일정에 따른 근무 시간
친구와 가족을 위한 더 많은 시간
여행의 기회
새로운 사람들을 만나다
독립을 이루다
당신의 꿈의 삶을 구축

비즈니스 구축

ONE ECOSYSTEM은 스위스에 등록되어 본사를 둔 글로벌 교육 회사입니다. 현재 ONE ECOSYSTEM의 운영 사무소는 불가리아 소피아 중심부에 위치하고 있습니다.

회사의 사업은 다양한 주제, 수준 및 가격으로 교육 모듈을 판매하여 교육과 지식을 제공하는 데 중점을 두고 있습니다. 우리는 회사의 사업을 네트워크 마케팅 사업으로 간주하는 6개 대륙에 있는 사람들의 글로벌 네트워크를 통해 제품을 판매합니다.

그렇다면 여기에 질문이 남습니다. 사람들이 자유롭게 마음을 열고, 창의적이며, 자신의 삶에 책임을 지고, 금전적 손실의 위험이나 모든 것에 집중할 위험 없이 가족에게 양질의 삶을 보장할 수 있는 삶의 기회가 있습니까? 업무에 관심을 갖고 있나요?

실전 투자 전략

대답은 간단합니다: 예

ONE ECOSYSTEM은 다음과 같은 기회를 제공합니다.

성공적인 사업을 구축하다
일정을 정해서 일하세요
자신의 필요에 따라 직업을 정하세요
전문적으로 성장하다
당신의 아이디어를 개발

지식에 대한 열망
현대 사회는 자신의 기대에 미치지 못하고 실용적인 기술과 지식을 가져오지 못하는 교육에 대한 투자를 더 이상 용납하지 않습니다. 사람들은 점점 더 질 높고 합리적인 수준의 교육을 받을 수 있는 대안을 찾고 있습니다.

ONE ECOSYSTEM은 지식과 기술을 바탕으로 양질의 학습 기회를 제공합니다. 당사의 E-러닝 플랫폼인 ONE ACADEMY는 금융, 법률, 블록체인 및 외환 거래의 네 가지 주요 흐름으로 나누어 다양한 분야와 주제를 제공합니다. 지속적으로 발전하는 전자상거래, 거래 및 암호화폐 세계를 기반으로 하는 ONE ECOSYSTEM 교육 모듈은 18세에서 99세 사이의 사람들이 쉽게 접근할 수 있고 귀중한 자산입니다.

ONE OES은 2014년 9월에 설립된 블록체인 기반의 글로벌 교육 플랫폼입니다. 원에코시스템은 다음과 같은 목표를 가지고 있습니다.

전 세계 모든 사람에게 금융 교육의 기회를 제공한다.
교육의 효율성과 효과성을 높인다.
교육의 공정성과 투명성을 보장한다.

원에코시스템은 다음과 같은 세 가지 주요 서비스로 구성됩니다.
· 교육 플랫폼: 원에코시스템은 블록체인 기술을 기반으로 하는 교육 플랫폼을 제공합니다. 이 플랫폼을 통해 사용자는 언제 어디서나 다양한 교육 콘텐츠를 학습할 수 있습니다.
· 교육 인증: 원에코시스템은 블록체인 기술을 기반으로 하는

교육 인증 시스템을 제공합니다. 이 시스템을 통해 사용자는 학습한 내용을 공인된 인증으로 인정받을 수 있습니다.

- 교육 커뮤니티: 원에코시스템은 블록체인 기술을 기반으로 하는 교육 커뮤니티를 제공합니다. 이 커뮤니티를 통해 사용자는 서로 정보를 공유하고 협력할 수 있습니다.

원에코시스템의 토큰은 OES입니다. OES는 원에코시스템의 플랫폼에서 사용되는 유틸리티 토큰입니다. OES는 다음과 같은 용도로 사용될 수 있습니다.

- 교육 콘텐츠 구매: OES를 사용하여 교육 콘텐츠를 구매할 수 있습니다.
- 교육 인증 신청: OES를 사용하여 교육 인증을 신청할 수 있습니다.
- 교육 커뮤니티 활동: OES를 사용하여 교육 커뮤니티에서 활동할 수 있습니다.

원에코시스템은 아직 초기 단계에 있지만, 빠르게 성장하고 있습니다. 원에코시스템은 블록체인 기술을 기반으로 교육의 미래를 바꿀 잠재력을 가지고 있습니다.

원에코시스템의 주요 특징

블록체인 기술을 기반으로 하는 글로벌 교육 플랫폼
전 세계 모든 사람에게 교육의 기회를 제공

교육의 효율성과 효과성을 높이고, 교육의 공정성과 투명성을 보장

교육 플랫폼, 교육 인증, 교육 커뮤니티 등 다양한 서비스 제공

OES 토큰을 통한 유틸리티 제공

원에코시스템의 전망

원에코시스템은 블록체인 기술을 기반으로 교육의 미래를 바꿀 잠재력을 가지고 있습니다. 원에코시스템은 다음과 같은 이유로 성장 가능성이 높다고 평가됩니다.

블록체인 기술의 발전: 블록체인 기술은 분산 저장, 보안성, 투명성 등 교육 분야에서 다양한 장점을 제공합니다.

교육의 디지털화: 교육은 점점 더 디지털화되고 있습니다. 원에코시스템은 디지털 교육을 위한 최적의 플랫폼을 제공합니다.

교육의 글로벌화: 교육은 점점 더 글로벌화되고 있습니다. 원에코시스템은 글로벌 교육을 위한 최적의 플랫폼을 제공합니다.

원에코시스템은 블록체인 기술을 기반으로 교육의 미래를 바꿀 잠재력을 가지고 있습니다. 원에코시스템의 성장 가능성에 주목해야 할 것입니다.

1) 원아카데미 :

ONE ACADEMY는 ONE ECOSYSTEM의 핵심입니다.

우리는 모든 사람이 교육을 받을 수 있어야 하고 자신에게 발전
의 기회를 주어야 한다고 믿습니다. 우리 사업의 주요 도구로서
교육은 항상 전체 생태계를 구축하는 데 필수적인 부분이었습
니다.

ONE ACADEMY 플랫폼에서는 금융, 법률, 블록체인, 외환 거래
등 4개 분야로 구성된 교육 모듈에 즉시 액세스할 수 있습니다.
모든 회원이 선택한 분야에 대한 지식을 향상시킬 수 있도록 다
양한 수준의 교육도 제공됩니다.

2) 원포렉스 :

OneForex는 다양한 암호화폐 쌍을 갖춘 외환 기반 거래 플랫폼으로, 이곳에서 거래 시장 아카데미에서 배운 실제 거래 및 실습 기술을 사용할 수 있습니다.

암호화폐 거래가 그 어느 때보다 쉬워졌습니다! ONE FOREX 는 광범위한 연구 및 분석을 위한 시간과 노력을 절약하고 고수익 기회를 창출하기 위해 여기에 있습니다. 외환 거래에 대한 경험이 있거나 기본 지식이 있더라도 ONE FOREX는 적합한 솔루션입니다.

암호화폐 거래를 통해 더 높은 수익을 얻을 수 있는 최고의 기회를 찾아보세요!

자산 구매 또는 판매를 위한 신뢰할 수 있는 거래 아이디어

실시간 및 과거 시장 상황에 대한 기술적 분석을 기반으로 한 시장 지표
명시된 성공률 +80%
사용자 친화적인 플랫폼
최고의 수익을 위한 다양한 아이디어
상위 및 비에 대한 현명한 제안 최고의 암호화폐 자산

스마트하게 거래하세요!

3) 원보야지 :

숙박, 항공편, 크루즈, 자동차 렌탈 등을 위한 A-TO-Z 플랫폼!

휴가나 출장은 오랜 연구와 조직의 문제입니다. ONE VOYAGE 를 사용하면 비용뿐만 아니라 시간도 절약할 수 있습니다.

한 곳에서만 꿈의 휴가를 계획하세요. ONE VOYAGE가 올바른 솔루션을 제공합니다. 250만 개 이상의 호텔, 900개 이상의 항공사, 다양한 고급 빌라, 50개 크루즈 노선, 자동차 렌트 및 전 세계 지역 활동에 대한 지능적인 제안으로 구성된 환상적인 재고를 통해 전체 조직이 더욱 즐거워질 수 있습니다.

4) 원비타 :

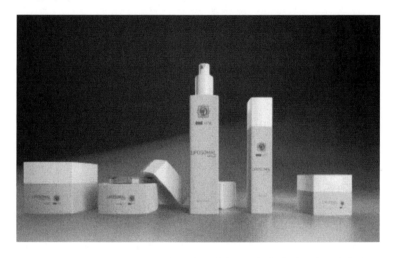

ONE VITA는 ONE ECOSYSTEM을 위해 독점적으로 개발 및 제조된 물리적 제품 라인입니다. 혁신적인 기술을 기반으로 ONE VITA는 탁월한 효율성으로 고품질 스킨케어 제품을 보장합니다.

100% 천연 제올라이트의 장점과 피부에 미치는 긍정적인 영향, 그리고 리포솜을 결합한 ONE VITA는 매일 피부를 관리할 뿐만 아니라 피부 노화를 지연시키도록 설계되었습니다. 이러한 천연물을 바탕으로 원비타(ONE VITA)가 화장품과 의약품의 경계에 있다는 점을 염두에 두고 뷰티 화장품 시장에 과감하게 진출하고 있습니다.

실전 투자 전략

모든 구독의 일정 비율은 ONE CHARITY에 전달되며, 모인 금액은 소외 계층 개인이나 그룹을 지원하는 데 사용됩니다. 우리의 임무는 사회의 다른 사람들보다 소유물과 기회가 적은 사람들에게 발전과 성장의 기회를 제공하는 것입니다. 우리는 한 사람이 세상을 바꿀 수 있다고 믿지 않습니다. 하지만 300만 명이 넘는 네트워크가 세상을 변화시킵니다.

5) 원채리티 :

ONE ECOSYSTEM은 교육적인 MLM 회사이자 6개 대륙의 사람들로 구성된 사회적 책임 커뮤니티입니다. 이것이 바로 우리의 자선 프로그램이 전체 생태계에서 중요한 부분을 차지하는 이유입니다.

6) 딜쉐이커 :

전자상거래 플랫폼 DEALSHAKER에서 다양한 제품을 즐겨보세요. ONE을 사용하여 제품과 서비스를 구매하거나 판매자가 되어 귀하의 비즈니스를 전 세계에 보여주세요!

ONE(OES) 란 무엇인가요?

원론적인 질문에 우리가 얼마나 답을 할수 있을까요?
천천히 우리의 ONE(OES)에 대해서 들여다보려고 합니다.

1. (ONE) OES 가 뭐예요?

ONE은 블록체인 기술혁명으로 탄생한 독특한 애플리케이션이다.

2014년 9월에 공식적으로 출시되었고 불가리아의 수도인 소피아를 첫 번째 본사 장소로 선택했다.

2015년 이후 194개국의 회원들이 ONE을 보유하게 되었고 이는 글로벌 커뮤니티에서 ONE의 매력과 중요성을 입증한다.

2. ONE의 매력과 중요성

글로벌 커뮤니티에서 ONE의 매력과 중요성은 상당한 성공을 거두었다.

그러나 어떤 첨단기술이 그렇듯 ONE도 일부 개인과 조직으로부터 반대와 의혹, 대립을 면치 못하고 있다.

반대되는 의견을 들여다 볼까요?

일부에서는 ONE이 전통적인 산업에 가져온 급격한 변화에 동의하지 않을 수도 있다.

다른 사람들은 블록체인 기술과 관련된 보안과 프라이버시를 우려할 수도 있다.

일부 반대의견은 ONE의 발전과 개선을 촉진할 수 있으며, 이는 도전과 논쟁을 충족시키는 데 있어 더욱 강력하고 신뢰할 수 있게 만든다.

3. ONE은 디지털 화폐입니다.

ONE(One)은 블록체인 기술을 이용하여 만들어진 암호화폐이다.

1. 분산형 장부기술- 전자적이전 및 저장

2023년 5월 23일 유럽 의회에서 발행된 MiCA 법에서는 전자화폐 자산을 "전자화폐의 디지털 표현, 분산형 장부 기술 또는 이와 유사한 기술을 사용하여 전자적으로 이전 및 저장될 수 있는 권리"로 정의한다.

2. 보안과 안전성

ONE과 관련된 모든 거래, 사용자 및 정보는 강력한 알고리즘으로 암호화된다. 이것은 ONE이 들어 있는 거래와 지갑에 대한 보안과 안전성을 보장한다.

3. 영구적인 거래기록

원(ONE)은 분산형, 신뢰성 있는 암기 기술인 블록체인 기술을 기반으로 개발됐다. ONE 거래는 블록체인에 영구적으로 기록되고 저장되며, 변경되거나 삭제될 수 없는 거래 기록을 형성한다.

4. 비용절감. 거래의 편리성

ONE은 중앙은행이나 시중은행과 같은 전통적인 금융기관의 중개를 필요로 하지 않는다. 대신 블록체인 기술은 제3자를 신뢰하지 않고도 당사자 간에 직접 거래가 이루어질 수 있도록 한다. 이것은 비용을 절감하고 거래 편의성을 높이는 데 도움이 된다.

실전 투자 전략

5. 블록체인의 분권성, 투명성, 공정성, 안전성

ONE의 블록체인은 통제된 비집약적인 원칙에 기초한다. 대신 거래와 인증권은 피어투피어 네트워크에 의해 수행되며 알고리즘은 자동으로 적용된다. 이는 블록체인의 분권성, 투명성, 공정성, 안전성을 나타낸다.

6. 속도와 보안, 안전성

원(ONE)의 최신 블록체인 기술은 현재 초당 10만 tps에 달하는 가장 빠른 거래 처리 속도와 보안, 안전성을 보장한다.

7. 다양한 거래 목적을 제공

디지털 화폐의 유연한 세분화 능력 때문에 소수점 뒤에 수십, 수백 자리까지 아주 작은 단위로 쪼개질 수 있다. 따라서 ONE은 매우 작은 단위로 세분화하여 다양한 거래 목적을 제공할 수 있다.
D. 다음과 같은 경우 통화로 사용될 수 있다.(ONE)

1. 거래 및 결제

ONE은 딜쉐이커 쇼핑몰을 기반으로 온라인 상품 및 서비스의 거래와 결제를 수행하는 데 사용될 수 있다. 디지털 화폐에 대한 관리 규정이 마련되면 - 예를 들어, MICA 법은 2024년까지 시행될 것이다 - 사용자는 은행과 같은 중개인을 거치지 않고 물건을 사고 팔거나 직접 돈을 송금하기 위해 ONE을 다른 디지털 화폐나 현금으로 교환할 수 있다.

2. 투자와 거래

ONE은 일종의 디지털 자산으로 간주되며, ONE은 거래소에서 사고 팔 수 있으며 금융 도구로 사용된다.

3. 국제 송금

ONE은 또한 빠르고 비용 효율적인 국제 송금 서비스에 사용된다. 전통적인 금융 시스템처럼 검토 절차가 복잡하고 중간 은행을 거치지 않는다

4. 금융서비스

ONE을 화폐로 사용하는 것 외에도 앞으로 더 많은 플랫폼이 개발될 것이다. 대출, 예금, 보험 및 기타 금융상품과 같은 복잡한 금융 서비스를 제공하기 위해서이다.
그러나 ONE이 재래식 화폐로 쓰이기 위해서는 세계의 디지털 화폐 및 자산 관리에 관한 구체적인 법률이나 규정이 발효되기를 기다려야 한다는 점에 유의해야 한다. 이렇게. 신규로 ONE 과 사용자의 안전을 보장한다.

결론/ ONE의 선구적 특징

ONE은 법이나 다른 전자화폐와는 상당히 거리가 멀고 선구적이었다.

원은 출시 이후 사용자에게 탁월한 혜택을 제공해 왔다. (지불수단)

POA(권위증명방식) 알고리즘을 사용하고 채굴을 하지 않음으로써 ONE은 에너지 절약뿐만 아니라 환경 보호도 한다.

또한 여러 수준의 관리 시스템을 갖추고 있습니다.

ONE은 투명하고 안전하며 유연한 전자 화폐입니다.

ONE은 개발 및 인증 과정에서 많은 위험을 배제하기 때문에 사용자에게 안전성을 보장하고 사용자가 신뢰할수 있다.

ONE은 또한 기술과 경영이 전자 화폐 분야에서 더 많은 획기적인 요소를 가지고 있고 매우 매력적이라는 것을 증명하고 있다 .

ONE(OES) / 디지털 화폐로 가는 과정과 역할

디지털 화폐로 ONE이 어떤 장점과 특징을 가지고 있으며 미래 사회의 중요한 가치를 담보하고 있는지를 살펴보겠습니다.

1. 금융 및 전자화폐에 대한 인식 강화

ONE은 사용자에게 많은 금융 지식을 제공합니다. ONE의 최우선 목표 중 하나는 ONE 에코시스템 플랫폼을 통해 사람들에게 금융지식과 전자화폐에 대한 인식을 교육하고 강화하는 것입니다.

a. 교육자료제공

ONE은 금융, 투자, 관리, 외환 및 기타 금융의 기본 개념에 대한 교육 자료를 제공합니다. ONE Academy에 수록된 이 문서에는 사용자가 ONE 금융, 전자진출 및 사용법에 대해 더 잘 이해할 수 있도록 돕기 위한 글, 설명서 및 참고 문헌이 포함되어 있습니다.

b. 통계를 이용한 재무상태의 모니터링

ONE은 딜쉐이커 기반의 분석 및 통계 도구를 제공하여 사용자가 비즈니스 및 재무 상태를 모니터링하고 평가할 수 있습니다. 이를 통해 사용자는 개인 금융 측면에 대해 더 잘 이해하고 현명한 금융 결정을 내릴 수 있도록 지원합니다.

c. 투자 기회 창출과 위험으로 부터 보호
ONE은 사용자에게 전략과 미래 계획에 대한 정보를 제공합니다. 매력적인 투자 기회를 창출한다. 이를 통해 사용자들은 스마트한 투자 결정을 내리기 위해 금융시장 4.0의 다양한 투자 분야에 대해 더 많은 것을 이해할 수 있고 원치 않는 위험을 피할수 있다.

2. ONE은 인문학적 측면을 고려한 휴머니즘적 디지털 화폐이다.

ONE은 휴머니즘을 기반으로 한 디지털 화폐이다. 그 기반은

ONE 에코시스템 생태계의 인문학적 요소를 포함하고 있는 통제 가능한 비집중적 금융 시스템을 구축하는 것이다.

ONE 에코시스템은 지역사회에 금융 및 비즈니스 솔루션을 제공하는 데 초점을 맞추고 있다. 그것은 공정하고 평등한 환경을 조성하여 사람들이 전통적인 중재자에 의존하지 않고 사업과 금융 활동에 참여할 수 있게 한다.

a. 접근성

ONE은 지리적 위치나 개인 재정 상태에 관계없이 누구나 쉽게 금융에 접근할 수 있는 기회를 제공한다. 이것은 재정 불평등을 완화하고 사람들이 공정한 금융과 사업에 참여할 수 있도록 하는 데 도움이 된다.

b. 상호작용

ONE 에코시스템은 사람들이 비즈니스와 재정 과정에서 서로 소통하고 의견을 나누고 지원할 수 있는 사회적 상호작용 환경을 조성합니다. 이것은 개인의 재정 목표를 달성하는데 있어서 서로 단결하고 지원하는 공동체를 만든다. 이것은 매우 가치 있는 정보를 배우고 교환하는 환경을 조성한다.

ONE Ecosystem은 사회적 목표를 가지고 있으며 자선 활동을 지원하고 지역사회를 도울수 있는 솔루션을 제공합니다. . 여기에는 사회 사업 지원, 가난한 사람들을 위한 금융 교육, 그리고 공동체의 삶의 질을 향상시키기 위한 다른 활동들이 포함될 수 있다.

c.평등

ONE의 목표는 전 세계 모든 사회 계층에게 접근 가능하고 확장 가능한 금융 시스템을 제공하는 것이다. 이 플랫폼은 또한 전통적인 금융 장벽을 제거하고 사람들이 쉽고 평등하게 금융 활동에 참여할 수 있도록 하는 것을 목표로 한다. 또한 사용자가 금융에 대해 더 잘 이해하고 ONE을 현명하고 효율적으로 사용할 수 있도록 지원합니다.

d. 비집중적 소셜 네트워크 형성

ONE은 커뮤니티 내에서 상호 작용과 교류를 촉진한다. ONE은 사용자 참여를 장려하기 위해 다양한 기능을 통합함으로써 사람들이 정보를 공유하고, 지식을 공유하고, 커뮤니티 활동에 참여할 수 있는 전 세계 비집중적인 소셜 네트워크를 형성한다.

e. 보안과 안전

ONE은 사용자의 프라이버시와 보안을 최우선으로 한다. 모든 정보를 블록체인 기술과 암호화함으로써 ONE은 개인 거래와 데이터(KYC)를 위한 안전한 환경을 제공한다.

g. 공정한 시스템

ONE은 블록체인 기술과 통제력을 갖춘 비집중적인 성격으로 안전하고 투명하며 공정한 시스템을 만든다. 거래는 블록체인에 공개적으로 기록되고, 영구 저장되며, 모든 사람이 그 성격을 확인하고 확인할 수 있다.
확실합니다. 세계의 법적 규제와 관리 정책이 발효되면. 당국은 필요할 때 ONE에 데이터 접근 요청을 할 수도 있다.

'ONE'의 가치 . 그것은 미래에 대한 준비된 자신감과 믿음입니다, 왜냐하면 ONE은 재정적 기회와 성장 잠재력을 제공하기 때문입니다. ONE의 소유는 단지 하나의 통화를 소유하는 것이 아니라, 금융 세계의 변화와 진보의 일부분을 소유하는 것입니다. 그 값진 가치들로 공동체의 성공을 기대할수 있고 ONE으로 우리는 밝고, 부유하고, 유망한 미래를 열 수 있습니다.
ONE(OES) / 전자화폐로서의 차별성과 특징 들여다보기 (3강)

ONE은 법이나 다른 전자화폐 보다 선구적이었다.
ONE은 출시 이후 사용자에게 탁월한 혜택을 제공해 왔다.
POA 알고리즘(아래 설명 참조) 을 사용하고 채굴을 하지 않음으로써 ONE은 에너지 절약뿐만 아니라 환경 보호도 한다.또한 여러 수준의 관리 시스템을 갖추고 있습니다.
ONE은 투명하고 안전하며 유연한 전자 화폐입니다. ONE은 개발 및 인증 과정에서 많은 위험을 배제하기 때문에 사용자를 보장하고 신뢰할 수 있다.

위의 결론에 미치는 요소들을 살펴볼께요.

1. ONE은 POA 알고리즘을 사용하는가?

1) POA 알고리즘이란 ?

POA(Proof of Authority)는 블록체인 네트워크에서 사용되는 합의 알고리즘이다.
여기서 인증자(validators)는 신뢰할 수 있고 새로운 거래와 블록을 인증하도록 지정되어야 한다. 인증자들은 이 임무를 수행할 수 있는 강력하고 신뢰할 수 있는 것으로 간주된다.

현재 사용되고 있는 두 알고리즘인 POW(Proof of Work)나 POS(PROof of Stake)와 달리, POA는 인증자에게 새로운 거래를 검증하기 위해 계산 문제를 해결하거나 금액을 베팅하도록 요구하지 않는다. 대신에 POA는 인증자들의 신뢰와 명성을 기반으로 한다.

POA는 다른 두 인증 알고리즘보다 집중력이 높다. POA 네트워크의 인증자 수는 일반적으로 더 적으며 제한된 수의 이해 관계자에 의해 관리되며, 이는 분산화를 최소화하고 인증 프로세스의 효율성을 높일 수 있다.

인증자 수가 적고 인증 절차가 간단하기 때문에 POA는 POW나 POS에 비해 거래 속도가 더 빠르다. 인증자 간의 경쟁과 복잡한 계산 과정의 감소는 POA가 더 빠르고 효율적인 거래를 처리할 수 있게 한다.

POA는 또한 에너지 절약과 POW나 POS에 비해 낮은 거래 수수료와 같은 몇 가지 다른 이점을 제공한다.

2) ONE은 어떤 가치를 제공하는 POA 알고리즘을 사용합니까?
a. POA 네트워크의 인증자는 몇 개의 그룹 또는 조직에 의해 지정되며, 그들은 다음과 같은 요소를 보장해야 한다.

1. 정직: 인증자는 POA 네트워크의 규칙과 규정을 준수해야 하며 어떠한 부정 행위도 하지 않아야 한다. 이는 인증 프로세스의 충실성과 신뢰성을 보장한다.
2. 보안: 인증자들은 그들의 네트워크 노드가 공격과 침입으로부터 보. 다음은 이 요건을 충족하기 위해 그룹 또는 조직이 필요로 하는 몇 가지 중요한 요소이다.

3. 평등: 인증자들은 인터넷 상의 거래와 활동을 인증하는 데 차별이 없도록 해야 한다. 이는 인증 과정의 공정성과 투명성을 보장한다.

4. 연속성: 인증자는 인증 프로세스에 참여하기 위해 자신의 네

트워크 노드의 지속적인 작동을 유지해야 한다. 그들은 네트워크의 지속성과 안정성을 보장하기 위해 네트워크 노드들이 현저하게 중단되거나 중단되지 않도록 해야 한다.

5. 응답 및 지원: 인증자는 문제를 해결하고 사이버 커뮤니티의 요구사항을 처리하는 데 있어 기꺼이 대응하고 지원해야 한다. 그들은 필요에 따라 사고 해결을 가능하게 하고 기술적 지원을 제공할 수 있어야 한다.

3) 인증자 선정은 높은 신뢰도와 영향력을 가져야 한다

다음은 이 요건을 충족하기 위해 그룹 또는 조직이 필요로 하는 몇 가지 중요한 요소이다.

1. 신뢰도: 그룹 또는 조직은 POA 네트워크가 작동하는 산업이나 분야에서 높은 평판을 가져야 한다. 위신은 활동 역사, 업적, 공동체 신뢰에 바탕을 두고 있다. 신뢰할 수 있는 그룹이나 단체를 선택하는 것은 인증자 선정과 관리 과정이 공정하고 신뢰성 있게 진행되도록 보장한다.

2. 경험과 전문성: 그룹 또는 조직은 인증 프로세스 및 관련 요건에 대한 경험과 통찰력을 가져야 한다. 그들은 인증 방법, 기술 및 프로세스에 대한 지식과 이 분야의 위험, 도전 및 동향에 대한 이해를 필요로 한다. 경험과 전문성은 인증자 선정 및 관리 프로세스의 품질과 효율성을 보장하는 데 도움이 된다.

3. 엄격한 선별 절차: 그룹 또는 조직은 엄격하고 투명한 인증자 선정 절차를 필요로 한다. 이 절차에는 기록 검토, 업무 및 경험 검토가 포함될 수 있다. 엄격한 선정 절차는 능력이 충분하고 신뢰할 수 있는 개인만이 인증자로 선정되도록 보장하는 데 도움이 된다.

4. 지속적 관리 및 감독: 인증자를 선택한 후, 그룹 또는 조직은 그들의 성실성과 신뢰성을 보장하기 위해 지속적인 관리 및 감독 절차를 필요로 한다. 여기에는 성능 평가, 훈련 및 역량 강화, 인증자에 대한 정기적인 검사 및 평가 수행이 포함될 수 있다. 지속적인 관리와 감시는 인증자가 POA 네트워크의 규칙과 규정을 준수하고 표준을 올바르게 유지하는지 확인하는 데 도움이 된다.

4) POA 알고리즘을 사용하는 장점

1. ONE은 네트워크의 유연성과 사용자 지정 기능을 활용하여 효율적인 계층 관리 시스템을 구축할 수 있다.

2. ONE은 환경 및 애플리케이션의 특정한 요구와 요구를 충족하기 위해 다양한 관리 수준을 설정할 수 있다. 각 관리 레벨은 각자의 역할과 책임을 가지며 네트워크의 발전과 관리에 기여할 것이다.

3. ONE은 많은 주요 파트너들의 참여를 확대하고 개방할 수 있는 능력을 갖게 될 것이다. 소수의 굴착공에게 의존하기 보다는. 이것은 우리가 보는 바와 같이 풍부하고 다양한 생태계의 발전을 촉진하는데 도움을 준다.

5) 위험으로부터의 배제

1. 단편적 네트워크 위험: POA의 경우, 거래를 확인하고 새로운 블록을 만들기 위해 채굴기들 간에 경쟁하는 과정이 없다. 따라서 네트워크 조각의 위험이 없으며, 시스템이 더 안정되고 유연해진다.

2. 보안 위험: POA의 경우, 새로운 블록은 미리 정의된 노드로 생성되며 인증 권한이 있다. 이것은 권력 집중과 관련된 시스템 및 기타 공격에서 불성실한 당사자들로부터 51%의 공격 위험을 줄이는 데 도움이 된다. 네트워크 보안을 강화하다.

3. 성능 위험: 복잡한 연산 과정이 없기 때문에 POA는 다른 연산 알고리즘에 비해 높은 성능과 처리 속도를 제공한다. 이것은 거래 확인 능력을 향상시키고 블록을 신속하고 효율적으로 만들 수 있다.

4. 에너지 소비 위험: POA 알고리즘은 BTC의 Proof of Work(POW)와 같은 다른 채굴 알고리즘과 같이 복잡한 계산 과

정과 큰 에너지 소비를 요구하지 않는다. 이는 과도한 에너지 소비와 환경에 부정적인 영향을 미치는 문제를 피하는 데 도움이 된다.

5. 채굴 비용 위험: POW(Proof of Work) 알고리즘만큼 고가의 하드웨어와 에너지 소비가 필요 없기 때문이다. 이를 통해 운영 및 전자화폐 채굴 비용을 크게 절감할 수 있으며, 하드웨어 및 채굴 활동에 대한 대규모 투자와 관련된 재정적 리스크를 줄이는 데 기여한다.

6. 가격 변동 위험: ONE은 채굴에 의존하지 않으므로 채굴 활동에 의해 발생하는 가격 변동 위험을 줄일 수 있습니다. ONE 모델에서는 거래 확인 및 블록 생성 과정이 BTC와 같은 복잡한 계산 문제 해결에 의존하지 않기 때문에 ONE의 가치에 상당한 영향을 미치지 않는다. 또한 비집약적인 채굴은 조작과 경쟁을 유발하여 ONE의 안정성과 지속성에 영향을 미칠 것이다.

6) 부정적 측면으로의 보호

구체적으로, 만약 ONE이 비집약적 개발을 한다면 다음의 다섯 가지 부정적인 측면이 있다.

1. 보안 위험: 통제가 없는 환경에서 ONE은 사이버 공격과 부정행위의 표적이 될 수 있다. 공격자는 ONE을 탈취하거나 거래 데

이터를 변경하려고 시도하여 사용자에게 피해를 주고 시스템에 대한 불신을 초래할 수 있다.

2. 공격 위험 51%: 통제되지 않는 네트워크에서 51%의 공격이 발생할 수 있으며, 그 중 한 개체가 네트워크의 계산 힘의 50% 이상을 통제할 수 있다. 이것은 그들이 거래 사기, 거래 확인 과정의 방해 및 네트워크 통제와 같은 악의적인 행동을 할 수 있게 한다.

3. 분권성 결여: 통제력과 집중력의 결여는 ONE의 분권성을 훼손할 수 있다. 관리 수준으로부터의 통제와 상호작용이 없다면 사용자는 ONE의 미래에 대한 통제권과 결정권과 관련된 위험을 겪을 수 있다.

4. 안정성과 예측력 결여: ONE이 통제력과 집중력을 잃으면 불안정성과 예측불가능성으로 이어질 수 있다. 큰 변동으로 원가의 가치가 크게 변동될 수 있고 원가의 가치를 유지할 수 있는 안정적인 메커니즘이 없다.

5. 규정 미비 및 사용자 보호: ONE이 통제되지 않으면 사용자 보호 규정과 메커니즘이 결여된다. 이로 인해 사용자는 부정 행위, 사기 또는 이와 관련된 법적 문제에 대한 보호가 없을 수 있다.

(사이버 공격의 몇가지 예)

1. MT 공격. Gox (2014): Mt. Gox는 당시 세계에서 가장 큰 비트

코인 거래소였다. 2014년, 이 블록은 공격당했고 약 85만 비트코인을 잃었으며 4억 5천만 달러의 가치가 있다. 이 공격은 전자화폐 커뮤니티에 충격을 주었으며 전자화폐 환경에서 보안 위험의 유명한 예이다.

2. DAO 공격(, 2016년 12월 1일 ~)은 이더리움을 기반으로 한 전자화폐 프로젝트이다. 2016년, DAO의 스마트 소스 코드에는 취약점이 있어 공격자가 360만 달러 이상의 에테르를 훔칠 수 있었다. 이 사건으로 인해 이더리움 블록체인을 이더리움, 이더리움 클래식으로 분리하려는 시도가 이어졌다.

3. 비트파이넥스 공격 (2016년) : 비트파이넥스는 유명한 암호화폐 거래소이다. 2016년, 이 블록은 공격당했고 약 120,000 비트코인을 잃었다.
당시 백만 달러였습니다. 이것은 거래소에 대한 가장 큰 공격 중 하나이며 사용자에게 큰 손실을 주었다.

4. 패리티 공격 (2017년): 패리티는 이더리움에서 개발한 전자 지갑이자 플랫폼이다. 2017년 패리티 소프트웨어의 취약성은 공격자가 당시 약 3천만 달러 상당의 에테르를 15만 개 이상 훔칠 수 있게 했다. 이 공격은 큰 논란을 불러일으켰고 전자화폐 시스템에서 보안 문제를 부각시켰다.

결론)

ONE의 POA 알고리즘의 사용은 많은 관리 등급이 있다는 점에서 많은 이점을 제공한다. 유연성, 맞춤성 및 확장성, 공정성 및 공동체의 참여를 촉진하다. POA는 매우 효율적이고 신뢰할 수 있는 관리 시스템을 만드는 데 도움이 된다.

C. MICA(Markets in Crypto-Assets Regulation) / 암호자산 시장규제

암호자산 시장규제(MiCA)는 암호자산에 대한 EU의 통일된 시장규칙을 제정한다. 이 규제는 현재 기존 금융서비스 법안에 의해 규제되지 않는 암호자산을 포괄한다. 암호자산(자산 참조 토큰 및 전자화폐 토큰 포함)을 발행하고 거래하는 자에 대한 주요 조항은 거래의 투명성, 공개, 승인 및 감독을 포괄한다. 새로운 법적 프레임워크는 암호자산의 공개 제안을 규제하고 소비자가 관련 위험에 대해 더 잘 알 수 있도록 함으로써 시장 무결성 및 금융 안정성을 지원할 것이다.

유럽 의회와 위원회의 2023/1114 규정

2023년 5월 31일

전자화폐 자산 시장과 개정 규정(EU) 1093/2010 및 (EU) 1095/2010 및 지침 2013/36/EU 및 (EU) 2019/1937

합의 메커니즘은 전자화폐 자산의 거래를 인증하기 위해 사용된다. 기후에 주요한 악영향과 그 밖의 환경관련 악영향도 있을 수 있다. 따라서 이러한 합의 메커니즘은 좀 더 환경 친화적인 해결책을 개발해야 하며, 기후에 미칠 수 있는 모든 주요 악영향과 환경에 대한 기타 악영향도 확인해야 한다. 전자화폐 자산과 전자화폐 자산의 발행자에 의해 식별되고 완전히 공개된다. 악영향의 원인 여부를 판단할 때 발행되는 전자화폐 자산의 규모와 질량은 물론 비례원칙도 고려해야 한다.

유럽 증권거래위원회EMA(European Council and Marketing Commission)는 유럽 의회 및 평의회의 규정 제1095/2010에 따라 설립되었으며, 2010년 유럽 은행 이사회(European Bank Organization)와 함께 유럽 의회 규정 제109/2010에 따라 설립되었다. 지속가능성 지표에 관한 정보의 내용, 방법 및 방법을 기후에 대한 불리한 영향 및 기타 환경 관련 불리한 영향과 관련하여 보다 명확하게 정의하고 주요 에너지 지표를 작성하기 위한 규정 기술 기준 초안을 작성하는 업무를 수행하여야 한다.

규정 기술표준 초안은 또한 전자화폐 자산 발행자와 전자화폐 자산 서비스 제공자의 공개에 대한 일치성을 보장해야 한다. 규정 기술 표준의 초안 개발 시 ESMA(European Securities and Markets Authority)는 전자화폐 자산의 거래를 인증하는 데 사용되는 다양한 유형의 합의 메커니즘, 이들의 특성 및 이들 간의 차이를 고려해야 한다. ESMA는 또한 기존 정보 공개 요건을 고려하여 보완성과 일관성을 보장하면서도 기업의 부담을 증가시키는 것을 피해야 한다.

금융 혁명은 이렇게 이루어진다

■ 먼저 금융혁명을 말하기 전에 코인의 위험성과 화폐에 대하여 기본 상식을 이해하여 보자.

▶코인의 위험성
 △가치가 불안정하다.
 △실물 없이 가상공간에만 존재한다.
 △여태껏 그 누구도 경험하지 못했다.
 △법의 제도권 안에 완전 들어오지 못했다.
 △생태계 없이 살아남기 어렵다.
 △거래소에서 사고 팔리는 투기상품이다.

▶화폐의 정의
 △상품의 교환유통과 서비스를 원활하게 하기 위해 사용되는
  매개물이다.

▶화폐의 3대 속성
△가치저장 △가치척도(회계원리) △지불수단(교환매개)

▶화폐의 역사
△물물교환 △조개껍데기 △소금 △금 은 동
△동전 △지폐 △카드 △페이 △암호 화폐

▶신 금융에 관한 법전
△AMLD5, △특권 법, △MICA,

▶신 금융에 관한 기구
△IMF △BIS △FRD △ECB △FATF △SEC,

■금융혁명 과정을 16단계로 나눠보자

▶ 01단계. 시대적 변화의 흐름에서 오는 숙명.

▶ 02단계. THE GREAT RESET.

▶ 03단계. 은행과 지폐의 문제점.

▶ 04단계. 리먼 브라더스 사태.

▶ 05단계. 기축통화 달러의 위기.

▶ 06단계. 블록체인 등장.

▶ 07단계. 알트 코인시대(비트+이더리움+ONE+그외 알트).

▶ 08단계. 알트코인 문제점 인식.

▶ 09단계. CBDC 출범.

▶ 10단계. 알트 코인 가치의문.

▶ 11단계. CBDC활성.

▶ 12단계. 알트 코인 몰락.

▶ 13단계. CBDC 문제점.

▶ 14단계. 단일화폐 필요성.

▶ 15단계. ONE채택(CBDC+ONE).

▶ 16단계. 금융혁명 성공

금융혁명은 시대적 변화의 흐름에서 오는 숙명으로 시작하여, 16단계 중 8단계 코인의 문제점 인식 단계까지 우리는 알게 모르게 이미 지나 왔고 지금은 9단계 CBDC 출범 단계를 지나고 있다. 15단계 ONE 채택 까지는 몇 단계 더 남아 아직 절반까지만 온 것으로 보이나 이것은 착시현상이다.

실전 투자 전략

바다를 메워 16층 건물 중 9층을 올렸을 땐 60프로가 아닌 90프로 공사가 이루어 진 것이다 그것은 1층을 올리기 전 토목 기초공사가 절반이상 걸리듯이 ONE이 금융혁명의 걸어온 길도 비슷하다.

그 지나온 길과 앞으로 가야 할 길에 대하여 상세하게 알아보자.

♥1단계. 시대적 변화의 흐름에 오는 숙명♥

원시시대 인류가 창조되어 구석기 신석기 크로마뇽을 거쳐 호모사피엔스의 현대인류가 존재하면서 인류문명은 끊임 없이 발전하고 화폐도 시대적 변화의 흐름에 맞추어 진화되었다.
아주 옛날에는 돼지 뒷다리와 쌀 한 말을 바꾸는 물물교환 시대였고 그때는 물건 그 자체가 화폐였다.

가장 내재가치를 믿을 수 있는 게 물물교환이지만 △교환가치의 부정확성, △보관성 △운송성 △저장성 등등 불편함으로 대체화폐의 필요성을 느껴 만들어져 나온 게 조개껍데기인데 이것이 지불수단의 매개물로 쓰이는 인류 최초의 화폐라고 볼 수 있다.

그 후 시대적 변화의 흐름에 따라 △조약돌 △소금 △금 은 동 △동전을 그쳐 오늘날 쓰고 있는 지폐에 이르렀다. 여기까지는 모두 실물이 존재하고 직접 손으로 만질 수 있는 아날로그 화폐이다.

그리고 이런 아날로그 화폐를 보완 하고자 나온 게 Card 및 Pay 로 이는 지폐에 기반을 둔 절반의 디지털 화폐이고 4차 산업 혁명의 시대적 변화의 흐름에 의한 완전 디지털 화폐의 필요성을 불려오게 하였다.

1988년 THE ECONOMIST 세계 베스트 경제 잡지 1월호에 Get ready for a World currency로 30년 후 미래화폐가 예언 되었고, 이로 인하여 2009년 비트코인과 2014년 ONE의 출범으로 금융혁명의 서막은 시대적 변화의 흐름에 오는 숙명으로 시작되었다.

♥2단계. THE GREAT RESET♥

금융혁명 서막은 시대적 변화의 흐름에 오는 숙명으로 시작되듯 앞으로 세상 흐름은 한 마디로 THE GREAT RESET이다 이처럼 엄청난 변화가 일어나고 우리는 이 시대적 변화의 흐름을 알아야 금융혁명이 밀려오고 있다는 진실을 비로소 이해 할 수 있다.

THE GREAT RESET 이 용어는 2016년 6월 스위스에서 열린 다보스 포럼(Davos Forum)에서 의장이었던 클라우스 슈밥(Klaus Schwab)이 처음으로 사용하면서 이슈화됐다.

당시 슈밥 의장은 악재(기후, 전염병, 전쟁)와 "이전의 1, 2, 3차 산업혁명이 전 세계적 환경을 혁명적으로 바꿔 놓은 것처럼 4차 산업혁명 호재가 전 세계 질서를 새롭게 만들게 될 것" 이라

실전 투자 전략

고 했다. 이에 대하여 구체적으로 살펴보자.

■ 기후
지구촌 한쪽은 가뭄과 또 한쪽은 홍수로 재앙을 겪고, 북극 빙하가 녹아 북극곰이 살 수 없는 환경과 녹은 빙하로 해수면이 상승하고, 산업발달로 탄소배출량의 증가로 지구온난화로 인한 이상기후 재앙에 직면하였다.

■ 전염병
△흑사병 △역병 △콜레라 △장티푸스 △메르스 △샤스 △신종플루 △코로나19 △원숭이두창 등 전염병이 인류를 위협하고, 더욱더 걱정되는 점은 이들 전염병의 주기가 가속화 된다는데 있다.

△흑사병 △역병 △콜레라 △장티푸스 등 아주 옛날의 전염병은 1세기에 한 번 정도 이였으나 지금 세대에선 △메르스 △샤스 △신종플루 등은 4년 주기로 발생하였고, 최근의 △코로나19 △원숭이두창은 2년 주기로 발생하여 더욱 심각성을 보였고 미래는 이보다 더 가속화하여 인류를 위협할 것이다.

■ 전쟁
2차 세계대전 후 우크라이나와 러시아 전쟁, 이스라엘과 하마스 전쟁 등 지구촌 전쟁은 계속 이어지고 있고, 우. 러 전쟁의 특징은 금융혁명과 아주 밀접한 성격이 있다. 그 예로 지구촌 전체의 피해, 스타링크, 개인 참여, 피난민 등 4가지 특징이다.

▶ 첫째. 지구촌 전체의 피해
지난날의 전쟁은 지구촌 반대에 있는 나라에는 그다지 영향력
이 없었으나 지금은 그렇지 않다. 여행의 제한 수출입의 제한
및 물가상승 등 주위 나라는 물론 지구 반대편에 있는 나라까지
직접적인 영향을 미친다.

▶ 둘째. 스타링크.
스타링크는 일론 머스크가 쏴 올린 위성 인터넷 망으로 우. 러
전쟁의 흐름을 바꾸는데 큰 영향력을 발휘하였다.
러시아 공세로 우크라이나는 기지국 파괴에 통신작전 불통으
로 일방적으로 몰렸으나 스타링크에 의한 위성 인터넷망으로
통신이 복원되어 한 달여 만에 반전의 계기가 되었고 이로 인하
여 조기에 끝날 것 같은 우. 러 전쟁은 2년이 되어가는 지금도 진
행 중이다.

▶ 셋째. 개인 참여
전쟁이 발발하면 보통 우방국의 개입이나 국가의 자격으로 참
여 하였으나 이번 전쟁은 국가는 물론 개인도 참여하였다.
우크라이나를 도와 달라는 문구와 함께 비트코인 주소를 SNS
에 올려 세계적 수많은 개인으로 부터 비트코인을 지원 받고 세
계 여론의 힘을 받아 전쟁의 판도를 바꾸는 전환점이 되었다.

▶ 넷째. 피난민 .

우리나라 6.25 전쟁 피난민의 모습을 보면 아버지는 지게에 솥 단지 짊어지고 어머니는 한 보따리 가득 머리에 이고 어린아이 손을 잡고 가는 긴 행렬을 사진으로 보았으나, 우크라이나 피난 민의 모습은 완전 대조적으로 여행용 가방정도와 핸드폰이 고 작이다. 이것은 핸드폰에 비트코인이 있기 때문에 이웃나라로 피난을 가도 경제적 어려움을 아무런 문제없이 해결할 수 있기 때문이다.

그리고   △기후 △전염병 △전쟁 이 3가지의 가속화로 식량위기 는 지금 보다 더 상상을 할 수 없을 만큼의 위기에 봉착 할 것이다.

■ 4차 산업혁명

인공지능 사물인터넷, 로봇기술, 드론, 자율주행 차, 가상현실, 등이 주도하는 차세대 산업혁명을 말한다.

4차 산업혁명은 ▷1784년 영국에서 시작된 증기기관과 기계화 로 대표되는 1차 산업혁명 ▷1870년 전기를 이용한 대량생산이 본격화된 2차 산업혁명 ▷1969년 인터넷이 이끈 컴퓨터 정보화 및 자동화 생산시스템이 주도한 3차 산업혁명에 이어 ▷로봇이 나 인공지능(AI)을 통해 실제와 가상이 통합돼 사물을 자동적· 지능적으로 제어할 수 있는 가상 물리 시스템의 구축이 기대되 는 산업상의 변화로 4차 산업은 거대하게 밀려온다.

그러나 4차 산업혁명은 이미 우리 동네에 2가지가 왔다.
하나는 고기집 서빙하는 아주적은 기초적인 로봇이고 또하나
는 아주 거대한 무인 자율주행 부산김해 경전철이다.

고기집 기초로봇은 최근의 모습이지만 경전철 자율주행은 10년
이 훌쩍 넘었다.
거대한 경전철보다 고기집 작은 서빙 로봇이 더 신기하다.

경전철처럼 오래전에 와 있지만 그냥 대수롭지 않게 지나왔다.
지나고 나서 보니까 아 이렇게 4차산업 이구나 하고 느껴진다.

우리가 못느끼는 순간에 4차산업은 성큼 다가와 있듯이 앞으로
의 4차 산업혁명도 더욱 더 강력하고 빠르게 우리 곁으로 다가
올 것이다.

그리고 4차 산업혁명과 함께 더 거대한 금융혁명이 올 것이다.

♥3단계. 은행과 지폐의 문제점 ♥

은행은 여전히 문턱이 높고 고객위에 굴림 한다.
저축하고 대출하는 고객은 "갑"이고, 은행은 감사한 마음에 "을"
이 되어야 하지만 현실은 언제나 은행이 "갑"이고 고객은 "을"
이다.

실전 투자 전략

고객은 5시 퇴근하여 업무를 보고자 하였으나 은행 문은 닫힌다. 고객은 돈이 없어 대출이 필요하면 담보력이 약해 외면 당하고, 고객은 돈이 많아 대출이 필요 없을 땐 담보력이 좋다고 대출을 권유 받는다.

은행은 고객이 저축한 돈을 안전하게 관리 할 의무와 책임이 있음에도 고객의 돈을 지키지 못하여 파산을 초래하고 때론 △횡령 및 유용 △사기 △배임 △도난 및 피탈로 일탈 한다.

세계최초 지폐는 중국 송나라의 "교자" 이고, 원나라에서도 지폐인 교초가 발행되나, 발행의 남발로 경제가 난장판이 되어 원나라 멸망의 주원인이 되었다. 그 후 지폐는 계속 진화하여 오늘날의 지폐가 되었고, 지금도 △무한발행 △내재가치결여 △관리비용 △분실 도난 훼손 등의 문제로 위기에 도달하였다.

그리고 자국 은행의 문제점에 이어 국제 은행 간 송금결재의 문제점도 크다. 외환규제, 까다로운 절차, 높은 수수료, 송금처리속도, 환율 변동에 의한 손실 등등 현재 은행과 지폐의 문제는 오래전부터 국가와 은행 중심으로 고객에게 많은 불편과 불이익을 주었고 지폐기반 은행 시스템 송금결제 문제 근본 해결은 한계가 있다.

♥4단계. 리먼 브라더스 사태♥

미국 투자은행 리먼 브라더스(Lehman Brothers)가 2008년 9월 15일 뉴욕 남부법원에 파산보호를 신청하면서 글로벌 금융위기의 시발점이 된 사건이다. 우리나라 주택담보 대출의 일종인 서브프라임 모기지 부실과 파생상품 손실에서 비롯되어 이는 역사상 최대 규모의 파산으로 기록되면서 전 세계 금융시장을 공포로 몰아넣는 중대한 사건으로 미국은 천문학적인 공적자금을 투입하여 이를 막았고 이 사건으로 달러의 위상은 추락하고 그 후 화폐혁명을 예고하는 비트코인 출범을 불러왔다.

♥5단계. 달러위기♥

화무십일홍 달도차면 기울고, 권불십년 기축백년 이다.
이것은 아무리 찬란한 영광도 때가되면 빛을 잃게 된다는 뜻이다.

미국은 기축통화의 힘과 막강한 군사력으로 세계 악당과 보안관을 넘나들고, 월남패전의 아픔과 하나둘 은행이 도산하는 지경에 이르러 국가 부도의 위기설이 나돌고 있는 지금의 어려운 시기에 금융지배세력 마저 달러를 버리고 새 보금자리를 준비하고 있는 설이 나도는 사면초가의 현실에 처해있다.

세계기축통화 달러는 1차 세계대전 후 1921년부터 오늘날까지 102년의 역사로 장수하고 있다.

세계기축통화 역사를 살펴보면 최장수 기축통화는

△스페인의 페소 110년(1530~1640),

△영국의 파운드105년(1815~1920)으로 100년을 갓 넘겼다.

△그 외 프랑스의 프랑95년(1720~1815),

△네덜란드의 길드80년(1640~1720),

△포르투갈 이스쿠두80년(1450~1530)으로

△기축통화의 평균 수명은 94년이다.

이런 역사의 관점으로 보아도 달러의 수명은 102년으로 한계에 직면했음을 알 수 있다.

■달러의 어원

최초 달러는 스페인에서 시작되었다.

당시 스페인 달러는 유럽과 아메리카 대륙은 물론 중국으로도 대거 유입되어 사실상 최초의 세계 통화가 되었고. 중국에 유입된 스페인 달러가 둥글다는 뜻의 원(圓)으로 불리고, 이것이 한국, 중국, 일본의 화폐단위가 되었다.

영국령이었던 북미 대륙으로 유입된 화폐가 중남미와 서인도 제도의 스페인령에서 사용되던 스페인 은화였고, 이를 스페인 달러(Spanish Dollar)라고 불렀는데 이는 16세기 보헤미아 왕국의 요아힘스탈(Joachimsthal)이라는 도시에서 주조된 은화를 요아힘스탈러라고 부른데서 기원한다. 나중에는 지명을 빼고 △thaler(독) △dolar(스페인) △dollar(영) 등으로 부르기 시작했다.

■ 달러의 탄생

지금의 달러는 1785년 미국 회의에서 도입된 화폐이다.

당시에는 스페인 동전이 주로 사용되었지만 독립전쟁 이후 미국이 자체화폐 발행을 시작하면서 달러가 등장하게 되었고 스페인 동전의 단위인 '피조'를 기반으로 농작물과 상품의 가치에 맞춰서 결정되었다.

■ 기축통화의 첫 걸음

19세기에 들어 미국은 산업화로 경제가 성장하여 달러의 가치도 상승하게 되어 경제적으로 더욱 강대국이 되었고 1917년 4월 1차 세계대전 막바지로 참전하여 몇 년 동안 무 참전으로 영국 등 전쟁당사국으로 부터 엄청난 군수 물자를 팔아먹는 최고이익 국가였다.

그로 인하여 영국과 세계의 금은 자동적으로 미국으로 몰리게 되고 전 세계 금은 70%이상 미국이 갖게 되었다 1차 세계대전이 끝나고 경제적 재건에 돌입한 각국은 무역으로 쓰이는 기축화폐인 파운드에 대하여 의문을 가지기 시작하여 1921년 금을 많이 소지한 미국달러의 믿음으로 기축 통화 지위는 자연스럽게 바뀌고 있었다.

그러나 영국은 쉽게 기축통화 지위를 빼앗기지 않으려고 자국의 경제력을 키우고자 노력 하였으나 미국 대공황의 여파로 결국 일어서지 못하고 1931년 금태환제를 중지하여 기축통화 지위를 잃고 달러 독무대가 시작되었다.

■ 브레턴우즈체제

제2차 세계대전이 끝날 무렵 미국은 전 세계 경제의 중심지로 부상하면서 달러는 세계 통화로 자리 잡게 되었고 1921년부터 파운드와 기축통화 자리를 함께하였으나 1944년 미국 뉴햄프셔 주 브레턴우즈에서 44개국 730여명 대표가 모여 회의를 개최한 끝에 미국 달러를 세계기축 통화로 쓰고 1온스(약28그램)에 35달러 기준으로 금본위제를 선언하여 달러 기축통화시대가 정식 출범하게 되었다.

■ 닉슨쇼크

브레턴우즈체제 협정(Bretton Woods Agreement) 이후 달러는 고정환율제를 통해 세계 경제를 주도하게 되었고 달러를 중심으로 세계 통화 시장이 형성되었으나 1960년대 미국은 두 가지 악재에 부딪혀 1971년 닉슨쇼크 발표에 이르게 되었다.

하나는 국내 엄청난 사회복지정책으로 예산을 소진하였고 또 하나는 월남패전으로 국력이 바닥이 나 보유한 금을 지키지 못하고 국외로 유출하였다. 이로 인하여 금 본위제의 믿음은 사라지고 각 국은 미국을 불신하는 움직임이 일고 프랑스는 보유한 달러를 금으로 돌려받았다.

이에 다른 나라들도 금으로 돌려 줄 것을 예견한 닉슨은 성명을 발표하여 달러는 금을 담보하지 않고 미국 신용으로 거래한다. 라고 선포하여 이것으로 미국달러의 금본위제는 사라지고 신용화폐시대가 시작되었다.

■ 페트로 달러시대

닉슨쇼크이후 금본위제가 사라진 후 달러의 위상은 하락하고 세계 각국은 달러를 불신하게 되어 기축통화의 위기를 느낀 닉슨은 임기 동안 사우디와의 빅딜을 하기위해 공을 들였으나 74년 하야하게 되었고, 어떨결에 대통령이 된 포드 시절 외무부장관인 키신즈가 이루어낸 성과로 1975년 키신즈 밀약 이라고도 한다.

당시 사우디아라비아와 이란은 앙숙으로 사우디의 안보가 위협을 받았고 미국은 막강한 군사력으로 사우디아라비아를 지켜주는 것과 석유를 거래 할 때 달러를 사용할 것을 상호 약속이 이루어져 페트로 화폐시대가 시작되어 각 국으로부터 금본위제에 버금가는 믿음을 얻게 되었다.

■ 플라자 합의

장기간 달러의 고공행진으로 대외 무역거래에 불리한 미국은 1985년 9월 22일 자국 무역경쟁력을 높이고자 뉴욕에 위치한 플라자 호텔에서 프랑스, 독일, 일본, 미국, 영국으로 구성된 G5의 재무장관들이 외환시장의 개입으로 인하여 발생한 달러화 강세를 시정하기로 플라자 합의로 높았던 달러 환율은 낮추고 엔화는 높였다. 이로 인하여 미국 경제는 살아나고 일본 경제는 잃어버린 30년이 되었다.

■ 양적완화

1930년 미국 대공황 당시 오늘날 양적완화와 비슷한 정책을 비공식적으로 처음 시행하였고, 2008년 이전 양적완호는 약80년 동안 8천억 달러 정도였으나 리먼 브라더스 사태 세계 금융위기로 네 차례에 걸쳐 4년 만에 4.2조 달러까지 돈을 풀면서 서브프라임 모지기로 인한 금융위기를 덮기에 이르렀다 그리고 코로나19로 가장 짧은 2년 만에 8조 달러가 넘는 역대 급 양적완화로 가치 하락과 하이퍼인플레이션을 불러오게 하였다.

■ 부채한도

미국은 23년 5월말 부채 한도에 도달해 한 동안 비상 조처가 시행되었다. 공화당은 지출을 대폭 삭감하지 않으면 한도 증액은 불가하다는 입장과 바이든 행정부는 우선 급한 불부터 끄고 보자며 이 문제를 둘러싼 샅바 싸움을 하였다. 2021년 말 설정한 31조4천억 달러(약 3경8842조원)의 부채 한도에 도달해 연방정부가 더는 돈을 빌리지 못하게 되고 이 상태가 이어지면 기존 부채의 이자를 지급하지 못하게 되어 미국은 사상 최초로 국가 부도에 이르게 된다.

정부가 채무를 상환하지 못하면 미국 경제와 모든 미국인들의 생계 세계 금융 안정을 회복할 수 없는 피해가 발생한다. 이처럼 미국은 최고 부자의 나라이지만 최고로 빚이 많은 나라이고 이제는 그 빚을 감당할 한계에 직면해 여차하면 부도로 이어질 수 있다.

■ 페트로 달러의 추락

미국은 사우디(수니파)와 적대관계에 있는 이란(시아파)을 국제
사회로 복귀시켜줌과 원유 수출을 용인하며 사우디의 분노를
싸게 했고 수니파와 함께 IS를 격퇴 했지만 한순간에 시리아를
버리고 철군하는 모습을 보였는데 이는 사우디도 언제든 의를
저버릴 수 있다는 시사점을 주었다.

바이든 정부도 빈 살만 왕세자를 적대시하며 미국 무기도 팔지
않고 미국 원유창고로만 인식하게 하여 이러한 분노로 사우디
는 탈 미국 행보를 보였고 이 틈을 기회로 중국은 사우디와 석유
거래를 위안화로 결제하는 행운을 챙겼다.

■ SWIFT 위축

SWIFT는 미국달러 기반의 국제간 송금결제 기구이다.
현재 대부분의 국가들은 이를 통하여 국제간 송금이 이루어지
고 있으나, 외환규제, 까다로운 절차, 높은 수수료, 송금처리속
도, 환율 변동에 의한 손실 등의 문제와 2014년 중국 위안화 기
반 국제 송금결제기구 CIPS와 2015년 러시아 루블화 기반의 결
제기구, 그리고 최근에는 브릭스의 국제간 결제기구 등장 및 비
트코인과 알트 코인의 송금으로 SWIFT의 위상은 위축된다.

■ 달러위기

달러의 위기는 금본위제 폐지 이후, 리먼 브러더스 사태, 코로
나 양적완화, 페트로 달러의 추락, SWIFT위축, 하이퍼인플레이

션, 고금리 등으로 신뢰가 무너져 기축통화로서의 수명의 한계에 직면하였고 감당하기 힘든 부채한도로 채무불이행이 언제 일어날지 모르는 아주 거대한 위기를 품은 상황이다.

"금융혁명은 이렇게 이루어진다."

♥6단계. 블록체인 등장♥

컴퓨터 역사는 1세대(진공관), 2세대(트랜지스터), 3세대(IC직접회로)를 거쳐 지금은 4세대(블록체인) 으로 발전하였다.

블록체인은 누구나 열람할 수 있는 장부에 거래 내역을 투명하게 기록하고 여러 대의 컴퓨터에 복제해 저장하는 분산 형 데이터 저장기술로 △"51:49"와 △"10분" 법칙으로 해킹을 막는다. 그러므로 암호 화폐는 블록체인으로 존재한다.

블록체인에는 퍼블릭(탈중앙화-공개형)과 프라이빗(중앙화-비공개형)이 있고 비트코인을 비롯한 대부분 알트 코인은 소스를 공개하여 누구나 채굴에 참여 할 수 있는 탈중앙화 공개 형 퍼블릭 블록체인이다.

비트코인 채굴은 처음에는 난이도가 아주 쉬워 1+1=2 정답으로 비트코인 하나가 채굴되고, 두번째 채굴 난이도는 조금 올라 9×9=81 정답으로 비트코인 또 하나가 채굴 된다.

지금은 난이도가 너무 높아 사무용 컴퓨터로는 채굴이 어렵고 슈퍼컴퓨터로만 가능하여 엄청난 전력이 소모된다. 이렇게 난이도별 퀴즈를 풀어나가는 방식으로 비트코인은 채굴 된다.

우리 ONE은 채굴소스를 공개하지 않고 회사가 대신 채굴하고 우리는 교육 팩케이지를 통한 ONE을 지급 받는 중앙 화 비공개형 프라이빗 블록체인 이였고, 지금은 퍼블릭으로 전환하여 프라이빗에 기반은 둔 폴리곤 퍼블릭 블록체인으로 양쪽을 오가는 하이브리드 형이다.

♥7단계. 코인천국시대♥

리먼 브라더스 사태가 터질 무렵 비트코인의 창시자 사토시 나카모토는 2007년 비트코인을 코딩하고 2008년 논문 발표와 2009년 지폐와 은행의 문제점을 해결하고자 미래지불수단 화폐가 되기 위한 명분으로 비트코인을 출범하였다.
그리고 2013년 비탈릭 부테린은 이더리움을 출범하고, 2014년 루자 박사는 ONE을 출범하였다, 그 후 수많은 알트 코인들이 쏟아져 나와 코인천국 시대를 맞이하였다.

비트코인은 0에서 출발하여 1억원까지 기록을 세웠고, 인류역사상 단기간에 이토록 많은 가치를 끌어올린 것은 비트코인이 처음이다.

비트코인 피자 데이는 2010년 5월22일 미국 플로리다에 사는 프로그래머 '라스즐로 핸예츠'가 1만 비트코인으로 파파존스 피자 두 판을 구매한 데에서 유래됐다.

당시 핸예츠가 구매한 피자 두 판의 가격은 30달러(약 3만 9945원)였다. 1비트코인을 0.003달러의 가치와 교환한 셈이다. 이날 오전 10시13분 기준으로 1만 비트코인은 오늘날 3618억 9000만원이다. 비트코인의 현재 가치로 한 판에 1809억4500만 원짜리 피자를 먹은 것이다.(자료-머니투데이 발췌)

그 후 비트코인은 꾸준히 상승하여 2017년 광풍의 해를 맞아 7월 700만 원 쯤 뉴스에 등장하고 일반인들도 관심을 가지게 되어 그 해 연말 6개월 만에 2,800만원을 돌파하는 기록을 세웠다.

그해 7월 700만원은 비트코인이 두 번 태어나는 것과 같은 뜻 깊은 의미가 있다 7월 전에는 특정인들만 비트코인을 알뿐 일반인들은 비트코인 존재 자체도 모르는 때였는데 이때부터 지상파 뉴스를 통해 비트코인을 보도하기 시작하여 일반인들도 저런 게 있구나하여 관심과 참여로 코인천국 시대를 열었다.

♥8단계. 코인문제점 인식♥

특정인에게만 알려졌던 비트코인은 2017년도 광풍의 해를 맞아 7월부터 TV와 SNS를 통하여 일반인들에게 알려지게 되었고 그 후 몇 년간 무분별한 알트코인 발행과 투기, 사기, 내재가치 결여, 가치의 불안정 등의 문제와 범죄에 사용되는 문제점을 만들었다.

2017년은 코인 성장기 이였다면 2018-9년은 비트코인 가격이 300만원으로 추락하고 알트코인 역시 추락하는 침체기였다.
2017년 성장기의 경험으로 많은 회사들이 무분별하게 코인에 참여하고 ICO를 하기 전에 프리세일로 대부분 유통시켜 상장이 되었을 땐 대부분 팔 사람만 있게 되어 폭락의 원인이 되었고, 또한 한탕 주위적으로 코인을 발행한 회사에 의한 사기피해가 난무하는 혼돈의 시기였다.

2020년 코로나 양적완화로 시중에 풀린 많은 돈은 산업의 마비로 마땅한 투자처를 찾지 못해 대부분 코인 판으로 몰리는 현상을 초래하여 코인은 제2전성기를 맞이하여 2021년 말 비트코인은 8,000만원을 찍었다.
2022년 미국은 양적완화에서 긴축정책으로 전환하고 물가를 잡는다는 명분으로 테이프링과 금리인상을 강행하였다. 달러는 세계가 함께 쓰는 기축통화로 달러의 고금리는 곧 세계가 함께 부담해야 하는 문제가 있음에도 불구하고 자국만 괜찮다면 다른 나라 어려움은 상관없다는 너 죽고 나 살자 정책으로 세계경제는 얼어붙고 코인 판에 몰렸든 돈도 다시 빠져나가 비트코인 가격은 절반으로 추락하고 알트 코인들도 나락으로 떨어졌다.

이처럼 코인은 실생활에 사용되는 내재가치보단 거래되는 투기 상품으로 전락하고 사기 및 범죄에 사용하는 중요 수단으로 인식되는 큰 문제점을 만들었다.

SEC(증권거래위원회)는 서서히 움직이고 있다.
코인(금융)의 탈을 쓴 증권이 증권법을 위반했다는 명분으로 리플소송 진행과 대형거래소 굵직한 코인들 상패를 시키고 있다.
앞으로 이런 움직임은 더욱 가속화 될것이다.

♥9단계. CBDC 등장♥

CBDC는 중앙은행에서 발행하는 디지털화폐이다.
4차 산업혁명과 디지털 세계로 나아가는 현실을 직시한 각국 정부는 블록체인의 우수성을 인정하고 금융의 변화에 동참한다.

발행비용 관리비용 도난 훼손 분실 등 지폐의 문제를 해결하고 KYC 등록으로 범죄자들의 비밀거래와 정치인의 검은 돈 및 탈세 등을 방지하여 투명한 거래를 유도하고, 지하에 숨은 음지 돈을 양지로 끌어내어 밝은 경제를 이루는 효과를 가진다.

비트코인과 ONE 그리고 모든 알트 코인은 민간에서 만든 코인으로 담보력이 없지만 CBDC는 국가에서 만들어 국가가 보증하는 신뢰가 있어 지금의 지폐를 대신 할 법적 통화이다.

중국은 이미 사용하고 세계 여러 나라에서 준비 중이며 우리나라도 시범을 마치고 마지막 점검에 있다.

각국의 CBDC 활성화로 지금의 지폐는 그다지 길지 않는 세월 속에 도태 될 것이고 각국의 CBDC 활성화는 ONE이 나아가는 징검다리가 될 것이므로 CBDC의 활성화는 우리의 바람이다.

올 4월 MICA법이 통과 되었다.
유럽의 AMLD5 와 우리나라의 특권법은 코인의 규제에 대한 대표법률이다 이법의 골자는 코인은 위험하므로 규제를 한다는 법인 반면 MICA법의 골자는 코인은 이러한 장점이 있으므로 이러한 조건을 갖춰서 해라는 법이다 앞의 두법은 하지 마라는 법이면 MICA는 해라는 법이므로 이법을 토대로 4차 산업의 정점에는 CBDC를 연계한 ONE이 더욱 더 나아 갈 것이다.

♥10단계. 알트 코인 가치 의문♥

비트코인이 태어난 이유는 미래지불수단 화폐로 태어났고,
알트 코인이 태어난 이유는 나름대로 이유가 있지만 비트보다 뛰어난 기술력으로 비트자리를 대신 할 수 있다는 기대치가 크기 때문에 우후죽순처럼 태어났다.

무분별한 알트 코인의 존재에도 불구하고 특정 분야 쓰임과 미래화폐가 될 거라는 기대가치를 부여하기에 거래소에서 사고

팔리는 행운을 갖고 있다. 그러나 CBDC의 등장과 엄격한 규제로 투자자 들은 여태까지 생각하지 못한 새로운 자각으로 각자가 투자한 알트 코인에 대한 기대가치에 의문을 가지게 된다.

중앙은행에서 발행한 CBDC가 화폐가 되면 각자가 가지고 있는 코인은 어디에 쓰여 지나하는 존재에 대하여 느끼게 되며, 뛰어난 기술력만으론 비트자리를 대신 할 수 없음을 비로소 깨닫게 되고 투기상품 규제통과 가치안정 생태계 등등의 장벽을 새로이 실감하게 된다.

비트코인은 태어날 때 미래 지불수단으로 태어났고 모든 알트 코인들도 미래 화폐의 꿈을 안고 태어났다. 투자자 누구든 각자가 투자한 코인이 특정분야 쓰임과 미래화폐가 될 것이란 기대치로 투자하였으나 CBDC의 등장과 규제의 장벽으로 그 기대가치는 무너지고 알트 코인 존재에 대한 의문은 더욱 더 커질 것이다.

♥11단계. CBDC 활성♥

현금과 CBDC는 공존하며 사용 될 것이나 시간이 지날수록 CBDC 사용으로 사람들은 점점 편리함에 빠져들 것이다.

현금이 없는 간편함과 분실 훼손 없고 도난을 당해도 추적에 의해 찾을 수 있는 믿음의 안정성이 최고의 장점이다.

크리스틴 라가르드 유럽은행 총재는 "모든 국가의 중앙은행은 2024년 5월까지 각국의 지폐를 CBDC로 교환해야 한다."라고 주구장창 얘기하였다 4차 산업혁명으로 모든 산업이 디지털화 되고 이에 맞춰 화폐도 디지털화되어야 산업과 금융이 호환이 이루어져 원활하기 때문이다.

3차 산업은 인간과 기계와의 연결이고, 4차 산업은 인공지능과 블록체인 기반으로 기계와 기계와의 연결이다. 즉 인간의 손길 없이 기계 끼리만으로 업무처리가 될 수 있다는 것이다.

그리고 최종결제 까지도 인공지능과 블록체인 기반에 의한 기계로 마무리 되어야 하기 때문에 4차 산업에 발 맞춰 화폐만 아날로그 지폐에 머물려 있을 수 없다는 것이다. 그러므로 디지털 화폐의 진화는 시대적 변화의 흐름에서 오는 숙명이고 그 것이 CBDC의 활성화로 연결될 것이다.

♥12단계. 알트 코인 몰락♥

규제통과 생태계활성 기술력향상 가치안정 등 조건을 갖추지 못하고 CBDC의 활성화와 강력한 규제로 알트 코인 존재 의문은 더욱더 심화되고 결국 그 의문으로 알트 코인은 대부분 거래가 아닌 실생활에 적용된 사용실적 없이 사라지고 0.1% 만 존재하게 될 것이다 그중 생존하는 코인은 메타버스와 NFT 계통이 주류이고 기존에 가지고 있든 코인의 가치보다 새로운 가치가 부여되어 4차 산업의 동력이 될 것이다.

♥13단계. CBDC 문제점♥

CBDC는 사용의 편리성과 안전성 등 활성화로 각국은 기존의 지폐에서 CBDC 사용이 점점 늘어 더욱 더 활성화 될 것이다.

그러나 개인정보 노출로 인한 국가의 감시를 받는 사회적 문제가 있고 CBDC 역시 한 나라의 화폐이기에 자국 내에서만 사용이 가능하므로 국외를 벗어나 사용할 수 없는 크게 두가지 문제점을 가지고 있다.

현 금융 지폐도 국외 사용은 직접 할 수 없어 달러로 전환하여 해외여행이나 무역 시 사용하고 CBDC 역시 국외를 벗으나 사용 할 수 없으므로 CBDC가 활성화 되면 우선과제가 외국 CBDC를 어떤 방법으로 사용할 수 있는가 하는 문제를 해결해야 하고 국가 권력으로 부터 노출된 개인 정보를 어떻게 지켜나갈 지도 고민 해야한다.

♥14단계. 단일화폐 필요성♥

안전성과 편리성으로 CBDC는 더욱 더 활성화되고 그럴수록 국경을 넘지 못하는 불편한 점과 국가로부터 개인정보는 더욱 더 노출되어 불안감을 느껴 이 두가지에 대한 문제를 해결하고자 노력할 것이다.

현재 기축통화 달러처럼 하나의 통화로 각 나라의 통화와 스왑할 수 있는 화폐의 갈망으로 세계단일화폐 필요성은 점점 커지게 될 것이고 중앙은행 국가기관으로 CBDC의 특성상 개인정보가 국가권력에 노출되는 문제가 있어 국가기관이 아닌 완전 신뢰 할 수 있는 제3자 민간기관의 필요성이 더욱더 절실해질 것이다.

♥15단계. ONE채택(CBDC+ONE)♥

채택이란 화폐로서 법적인 지위를 공식적으로 갖는 것을 뜻한다. ONE이 세계단일화폐로 채택 될 수밖에 없는 이유는 딱 한 가지 ONE의 우수성 때문이다. 그 우수성은 △탁월한 로드맵 △지불수단 충족 △규제통과 △기술력 등이다. 그리고 ...

■ 탁월한 로드맵-(거래소 투기 상품의 길 아닌 화폐의 길)

▶2003.08 ONE 도메인 등록.
▶2004.05 ONE 월드 파운데이션 등록
▶2005.01 딜쉐이커 도메인 등록
▶2005.09 ONE아카데미 등록
▶2014.03 ONE 프라이빗 블록체인 채굴.
▶2015.06 루자 제14차 동유럽 정상회의 미래지불수단 연설.

▶2016.04 ONE 1200억개 1.0 프라이빗 블록체인 변경

▶2018.05 유럽연합 풀과 미국 검찰 서버 압수수색

▶2019.02 ONE은 2월부터 18주차 공지와 각국공문 발송

▶2020.08 ONE 2,500억개 2.0 블록체인으로 변경

▶2021.08 유럽연합회 가상자산 MICA법 규정 마련결정

▶2022.01 콜롬비아 ONEECOSYSTEM 백서발표

▶2022.08 퍼블릭2.0 서버 변경 및 1인1계정 통합시작

▶2023.02 폴리곤 퍼블릭 전환, 원보야지 원비타 원포렉스

▶2023.04 유럽 MICA 법통과, 세계최초 암호 화폐 규정마련

▶2023.09 퍼블릭 전환 1차 종료

▶2023.09 딜쉐이커 환전 풀가동

▶2023.11 홍콩 딜쉐이커 짐 로저스 초청 기조연설

▶2024.03 퍼블릭 전환 2차 종료예정?

▶2024.05 각국의 지폐 CBDC 전환?

▶2024.06 MICA법 1차 시행예정?

▶2024.06 ONE포렉스, ONE보야지,ONE비타 가동예정?

▶2024.06 교육 팩케이지 네트워크 종료예정?

▶2024.12 MICA법 2차 시행예정?

▶2025.12 ONE 채택 예정?

■ 지불수단 충족
△가치안정(42.5유로) △쉬운 전산 △사용의 편리성
△빠른 처리속도(65,000-200.000PTS) △500만 유저 수

■ 규제통과

유럽중앙은행 디지털화폐 3요건 충족으로 P2P 허용

(△KYC, △중앙 집권 식, △중앙은행에 의한 통제 시스템),

■ 기술력

△쉬운 전산, △완벽한 보안성, △블록체인에 KYC 탑제,

△폴리곤 블록체인 하이브리드 형, △이더리움 생태계 흡수,

■ 확장성, 유용성, 유동성,

△블록체인 생태계(원포렉스, 원보야지, 원비타. 딜쉐이커풀),

△코인마켓캡 등재, △바이낸스 거래소 공식뉴스 등재,

그리고 . . .

■ ONE 현재가치

△교육 팩케이지 판매가 - 1ONE 최고70,000원 최저40,000원

△지폐가 ONE으로 교환되는 시기는?

미미하지만 지금도 진행되고, 크리스틴 라가르드 총재는 2024년 5월까지 모든 국가 지폐는 CBDC로 교환해야 한다. 라고 하여 CBDC가 활성화되는 그 후 가속화 될 것이다.

암호화폐 시장 비교분석

■ 딜쉐이커 환전 풀 의미

딜쉐이커는 ONE의 가치 42.5유로를 증명하고 실물거래가 이루어지는 세계 유일한 블록체인 상거래 사이트로 2016년부터 운영되어 왔습니다. 현재는 ONE과 법정통화를 일정비율로 혼합한 제품이 많고 종류도 갈수록 점점 더 늘어나고 있지만 아쉽게도 전자제품과 자동차 주택은 아직 시원하게 올라오지 않고 있습니다.

그러나 환전 풀의 작동으로 멀지 않는 기간 안에 빠르게 달라 질 것입니다. 상인은 물건을 팔면 다시 그 돈으로 물건을 구매할 수 있어야 하는데 지금 까지는 환전이 되지 않아 유동성이 없었습니다.

상인들이 받은 코인에 유동성을 해결 하고자 지난 9월 딜쉐이커 환전 풀을 작동하였으므로 전자제품 자동차 주택 등의 상인도 참여 할 수 있는 여건이 조성 된 것에 아주 큰 의미가 있습니다.

■ 코인마켓캡 등재와 바이낸스 거래소 공식뉴스 등재 의미

추석 쯤 바이낸스 CEO 자오 창펑은 코인마켓캡을 인수하여 둘은 같은 CEO가 되었고 이 무렵 우리 ONE이 두 곳에 등재되었다. 우연인지 기획인지는 모르나 의미가 있고 ONE 출범 9년만의 쾌거입니다.

코인마켓캡은 코인 판의 족보와 같습니다.
집안을 일으켜 세울 훌륭한 자식이 그동안 족보에 올려있지 않아 저자식이 우리 가문의 자식이 맞는지 아닌지 의심의 눈으로 천대 받듯이, 금융혁명을 가져올 우리 ONE도 코인마켓캡에 없다는 이유로 저것이 코인인지 사기인지 의심을 받아 힘든 시간을 보낸 아픈 과거였습니다.

바이낸스 거래소 공식뉴스 등재는 반가운 소식이나 한편으로 일반거래소인 바이낸스에 상장 될까봐 우려하는 분들도 있습니다.

코인은 태어나면 코인마켓캡에 등재되고 그 가치를 증명 받고자 거래소로 향합니다. 그 중에서 가장 가고 싶은 곳이 바이낸스입니다.

어느 거래소에 상장이 되었는가에 따라 그 코인 가치는 평가되므로 모두들 좋은 곳에 상장하기를 희망하고 그 좋은 곳의 대명사가 바이낸스로 그곳에 상장되었다는 것만으로 일단 50점은 먹고 갑니다.

그러나 이것은 일반 코인들의 얘기이고 우리 ONE이 일반거래소에 상장되면 일반코인처럼 사고 팔리는 투기 상품이 되어 화폐로서 기능을 잃고 가치가 불안정하지 않을까 우려하여, 일부 유저들은 바이낸스 공식뉴스에 ONE이 소개 되었다는 건 상장이 될 가능성이 아주 높은 합리적 추론으로 우려합니다.

그렇지만 그런 우려는 섣부르고 상장 한다는 공지도 없었으며 상장하여도 모든 것은 본사에서 아무문제 없이 잘 해나갈 것으로 생각됩니다.

그리고 만일 상장 시 아래와 같은 장점도 있습니다.

▶첫째. OES/USDT 쌍 등재로 가격안정을 할 수 있습니다
우리 ONE은 MICA법 기준으로 스테이블B 플랜에 속하므로 단독으로 상장해도 USDT처럼 가치를 안정적으로 유지 할 수 있지만, 더욱 더 안전한 가격 유지를 위해서 코인마켓캡에 등재 된 것처럼 OES/USDT 쌍으로 상장이 유력합니다.

▶ 둘째. 생태계 활성화로 가격안정을 할 수 있습니다
원포렉스(외환거래), 딜 쉐이커(아마존을 능가 할 마트), 원보야지(항공 호텔), 원 비타(화장품 건강식품) 등 실물거래 지불수단으로 42.5유로 고정환율제 적용으로 가치가 증명되어 가격이 하락할 수 없고 시장의 원리에 의해도 생태계 활성화 가치 보존으로 단기적 가치하락보다 장기적 가치상승 효과가 높을 것입니다.

▶ 셋째. 거시적 관점에서 바람직 할 수 있습니다.

미시적 관점에서 자체교환소를 운영하여 우리전용 거래소면 편리하게 가격방어는 유리하지만 우리만의 세상이 될 수 있고 거시적 관점에서 일반거래소를 이용하면 처음에는 어려움이 있으나 외부 금융과 타 코인의 광범위한 흡수가 쉽고 멀지 않은 기간에 코인은 0.1%만 남고 사라지고 지금의 거래소들도 모두 도태되어 바이낸스 외 몇 개만 존재 할 것입니다. 그렇다면 바이낸스도 바람직 할 수 있습니다.

■ 짐 로저스 홍콩 딜 쉐이커 기조연설 의미

△워렌 버핏 △조지 소로스 △짐 로저스 이들은 3대 투자 전문가입니다. 이들과 점심을 함께 먹으면 10억의 기부금을 내야 한다는 말이 들리 듯 그들은 가치 없는 일은 절대 하지 않습니다. 어떤 이유로 왔는지는 알 수 없으나 그분이 왔다는 사실만으로 ONE에 가치가 있다는 것이 증명된 결과입니다. 그것도 일반 CEO가 아닌 세계3대 투자 가 라는 것이 핵심 포인트입니다.

암호화폐에는 투자하고 있지 않습니다. 하지만 거래수단 외에는 가치가 없다고 합니다.

■ 퍼블릭 전환 2차 단축종료와 교육 팩케이지 종료의미

퍼블릭 전환 2차시기는 2023년 10월부터 2024년 9월까지 1년으로 발표되었으나 최근에는 2024년 3월말일로 6개월 단축되었다는 정정 발표가 있었고, 24년 6월 교육 팩케이지가 종료된다는 말도 흘러나옵니다.

퍼블릭 전환 2차 단축종료는 ONE의 진행사항이 순조롭고 세상의 빠른 흐름에 맞추고자 하는 느낌이 있고, 교육 팩케이지 종료는 MICA법 시행에 따른 규정 준수와 ONE포렉스 및 딜쉐이커풀, ONE 보야지, ONE비타의 생태계를 활용한 실거래 P2P 활용을 위한 과정으로 유추됩니다.

스테이블코인(Stablecoin)은 가치가 안정적인 암호화폐입니다. 일반적으로 법정화폐나 다른 안정적인 자산에 고정되어 있습니다. 스테이블코인은 변동성이 큰 다른 암호화폐에 비해 투자자들에게 더 나은 안전망을 제공합니다.
스테이블코인 이미지새 창에서 열기
www.coindeskkorea.com
스테이블코인

CBDC(Central Bank Digital Currency)는 중앙은행이 발행하는 디지털 통화입니다. CBDC는 기존의 종이 화폐나 전자 화폐와 달리 블록체인 기술을 기반으로 합니다. CBDC는 중앙은행의 통화 정책을 보다 효과적으로 시행하고, 금융 시스템의 효율성을 높이는 데 도움이 될 수 있습니다.

STO(Security Token Offering)는 증권형 토큰을 발행하여 자금을 조달하는 방식입니다. STO는 기존의 증권 발행 방식과 유사하지만, 토큰을 블록체인 기술을 기반으로 발행한다는 점에서 차이가 있습니다. STO는 증권 시장의 효율성을 높이고, 투자자들에게 더 나은 투자 기회를 제공할 수 있습니다.

STO 이미지새 창에서 열기

torquecafe.com

STO

NFT(Non-Fungible Token)는 대체 불가능한 토큰입니다. NFT는 각 토큰이 고유한 특성을 가지고 있어 다른 토큰과 교환할 수 없습니다. NFT는 디지털 자산, 예술 작품, 수집품 등 다양한 용도로 활용될 수 있습니다.

스테이블코인, CBDC, STO, NFT는 모두 블록체인 기술을 기반으로 하는 새로운 금융 상품입니다. 이들은 기존 금융 시스템을 변화시킬 잠재력을 가지고 있습니다.

CeFi(Centralized Finance)는 중앙화된 금융을 의미합니다. CeFi는 기존 금융 시스템과 유사한 방식으로 작동합니다. 즉, 중앙기관이 사용자의 자산을 관리하고, 금융 서비스를 제공합니다.

DeFi(Decentralized Finance)는 탈중앙화된 금융을 의미합니다. DeFi는 블록체인 기술을 기반으로 하는 금융 시스템입니다. DeFi는 중앙기관의 개입 없이, 사용자들이 직접 금융 서비스를 제공하고 이용할 수 있습니다.

CeFi와 DeFi의 주요 차이점은 다음과 같습니다.

특징	CeFi	DeFi
중앙기관	존재	없음
자산 관리	중앙기관이 관리	사용자들이 직접 관리
금융 서비스 제공	중앙기관이 제공	사용자들이 직접 제공
규제	규제 대상	규제 대상이 아님
보안	중앙기관의 보안 시스템에 의존	블록체인 기술의 보안성에 의존
효율성	중앙기관의 개입으로 인해 효율성이 떨어질 수 있음	중앙기관의 개입이 없기 때문에 효율성이 높음
접근성	중앙기관의 허가를 받아야 접근 가능	누구나 접근 가능

CeFi는 기존 금융 시스템과 유사한 방식으로 작동하기 때문에, 사용자들에게 친숙하고, 안정적인 금융 서비스를 제공할 수 있습니다. 그러나 중앙기관의 개입으로 인해 효율성이 떨어지고, 규제의 대상이 될 수 있다는 단점이 있습니다.

DeFi는 블록체인 기술을 기반으로 하기 때문에, 기존 금융 시스템의 문제점을 해결할 수 있는 잠재력을 가지고 있습니다. 즉, 탈중앙화로 인해 효율성이 높아지고, 규제의 대상이 되지 않기 때문에, 금융 혁신을 이끌 수 있습니다. 그러나 아직 초기 단계에 있기 때문에, 보안성이나 접근성 등의 문제점이 있습니다.

CeFi와 DeFi는 각각 장단점이 있습니다. 따라서 사용자의 필요에 따라 적절한 금융 시스템을 선택하는 것이 중요합니다.

이더리움은 블록체인 기반의 분산형 플랫폼입니다. 이더리움은 2015년 비탈릭 부테린이 개발하였으며, 현재 가장 인기 있는 블록체인 플랫폼 중 하나입니다.

이더리움
이더리움의 주요 특징은 다음과 같습니다.
- **분산형**:이더리움은 중앙기관의 통제를 받지 않는 분산형 플랫폼입니다.
- **스마트 컨트랙트**:이더리움은 스마트 컨트랙트 기능을 지원합니다. 스마트 컨트랙트는 계약 조건을 코드로 작성하여 블록체인에 저장하는 기술입니다.
- **탈중앙화 금융(DeFi)**:이더리움은 탈중앙화 금융(DeFi)의 기반이 되는 플랫폼입니다. DeFi는 블록체인 기술을 기반으로 하는 탈중앙화 금융 시스템입니다.

폴리곤은 이더리움의 확장성 문제를 해결하기 위해 개발된 플랫폼입니다. 폴리곤은 이더리움과 호환되기 때문에, 기존 이더리움 생태계와의 연결성을 유지하면서 확장성을 높일 수 있습니다.

폴리곤
폴리곤의 주요 특징은 다음과 같습니다.
- **이더리움 호환성**:폴리곤은 이더리움과 호환됩니다.
- **저렴한 수수료**:폴리곤은 이더리움에 비해 수수료가 저렴합니다.
- **빠른 속도**:폴리곤은 이더리움에 비해 속도가 빠릅니다.

OES는 원에코시스템(ONE)의 유틸리티 토큰입니다. OES는 원에코시스템의 플랫폼에서 사용될 수 있습니다.

OES의 주요 용도는 다음과 같습니다.
- **교육 콘텐츠 구매**:OES를 사용하여 원에코시스템의 교육 콘텐츠를 구매할 수 있습니다.
- **교육 인증 신청**:OES를 사용하여 원에코시스템의 교육 인증을 신청할 수 있습니다.
- **교육 커뮤니티 활동**:OES를 사용하여 원에코시스템의 교육 커뮤니티에서 활동할 수 있습니다.

유니스왑은 이더리움 기반의 탈중앙화 거래소입니다. 유니스왑은 사용자들이 서로 직접 거래할 수 있도록 하는 플랫폼입니다.

유니스왑
원 경제TV 대박뉴스 구독자 여러분 반갑습니다

오늘은 시가총액 21위 시가총액이 조금 바뀔 수 있습니다.

유니수왑에 대해서 살펴보겠습니다.

유니코인으로 되어 있습니다.

유니스왑은 내용이 어려울 수도 있는데, 최대한 기본적인 내용을 다뤄보겠습니다.
덱스라고 하는 것은 탈중앙화된 거래소 입니다.

유니스왑은 최초의 탈중앙화된 거래소입니다.

이것을 만든 사람은 헤이든 아담스라고 하는 굉장히 젊은 청년입니다.

지금은 유니콘이 되어 대단한 인물입니다.

헤이든 아담스는 원래 개발자 출신은 아닙니다.

그러니까 개발자 출신이 아니고 비전공자가 개발을 해서 굉장히 혁신적인 탈중앙화된 거래소를 최초로 만들어낸 것입니다.

일반적으로 중앙화된 거래소는 바이낸스나 업비트 같은 중앙화된 거래소가 있습니다.

그리고 덱스라고 불리는 탈중앙화된 거래소가 있습니다.

대표적인 거래소가 유니스왑입니다.

이 두 가지의 거래소의 차이는 중앙화된 거래소는 간단합니다.

실제 거래소가 있고 거래소에서 사람들이 거래를 합니다.
매도를 하는데 실제 비트코인이나 이더리움을 거래할 때 거래되는 모든 내역들이 블록체인에 기록되지 않고 블록체인을 사용하지 않습니다.

보유된 암호화폐는 거래소의 데이터베이스에 있습니다.
여기에 기록을 해놓고, 사용자들은 중앙화된 거래소에서 매수매
도 거래를 하는 것입니다.

이렇게 매수 매도 거래를 기록하고 있습니다.

최종적으로 사용자가 자기 지갑으로 비트코인을 보내고 싶다
고 하면, 그때 여기에 한번 기록해서 보내줍니다.

결론적으로 중앙화된 거래소에서 내가 비트코인, 이더리움을 가
지고 있으면 거래소가 가지고 있는 것입니다.

거래소를 신뢰하지 못하는 경우에 여러 가지 문제가 생길 수가
있겠습니다.

바로 이것이 중앙화된 거래소입니다.

중앙화 거래소는 실제 블록체인에 기록을 하지 않기 때문에, 굉
장히 빠르고 저렴하고 거래 물량이 많은 장점이 있습니다.
그러면서 거래소의 주 수익원이 여러 가지가 있겠지만, 수수료
수익이 엄청납니다.

거래소는 장이 좋아도 돈 벌고 장이 안 좋아도 돈을 버는 구조입니다.

기존의 은행시스템과 유사합니다.

물론 장이 안 좋으면 좀 덜 벌겠지만 그래도 계속해서 수익을 내는 구조입니다.

그래서 이러한 구조에서 탈중앙화된 거래소로 넘어옵니다.

헤이든 아담스가 유니수왑을 만들었고 탈중앙화된 거래소의 가장 큰 컨셉은 바로 블록체인입니다.

대표적으로 이더리움 네트워크 위에서 구동이 됩니다.

이더리움 위에 스마트 컨트렉트라고 불리는 유니스왑 프로그램이 있습니다.

사용자들은 각자 지갑을 가지고 있습니다.

지갑은 두가지가 존재합니다.
그래서 사용자들이 이더를 가지고 있고 다른사용자는 다이를 가지고 있다고 가정해 보겠습니다.

그러면 이더를 가지고 있는 사용자가 거래소 중재없이 직접적으로 다이와 교환을 할 수 있습니다.

그런데 우리가 서로 만나지 않는 이상 신뢰할 수가 없습니다.

그래서 직접적으로 교환하는 것을 프로그램을 통해서 신뢰할 수 있는 블록체인 기반에서 동작을 하게끔 만든 플랫폼입니다.

그래서 플랫폼은 계속 자동으로 돌아갈 수 있습니다.

그래서 A 사용자하고 B 사용자가 이더를 주면 다이를 주는 것입니다.

이렇게 교환을 할 수 있도록 해주는 시스템입니다.

기본 컨셉은 시스템에서 유동성 공급자라는 개념이 나옵니다.

유동성공급을 LP 라고 합니다.

LP 개념이 굉장히 중요한데 유동성 공급자는 쉽게 얘기해서 거래소는 수수료로 수익을 받습니다.
그래서 이 거래소는 볼륨을 많이 가지고 있습니다.

마찬가지로 볼륨을 제공할 사람이 필요합니다.

그래서 누구나 유동성 공급자가 될 수 있습니다.

사용자 A 가 이더와 다이 물량을 100개씩 가지고 있습니다.

이더하고 다이를 유동성으로 공급하려는 사람이 굉장히 많아집니다.

기관도 있을 수 있고 기업들도 있을 수 있습니다.

이렇게 계속 공급하면 이더하고 다이라고 하는 풀이 생기게 됩니다.

풀이 생기면 이더가 있고 다이가 있습니다.

A 가 제공한 풀 B 가 제공한 풀이 계속 증가하게 됩니다.

어느 정도 풀이 생기면 C 라는 사용자가 다이를 가지고 있고 그러면 다이를 이더로 바꾸기를 원합니다.

그러면 유니수왑에 요청을 하면 풀에 있는 다이를 만약에 100개를 집어넣고 그리고 해당하는 이더를 두 개 가져오는 것입니다.

가져올 때 내가 100개를 줄 때 여기에 수수료를 0.3% 정도 그때마다 다른데 100개의 다이에 대한 0.3% 의 수수료가 발생하게 됩니다.

이 수수료를 유동성을 제공한 유동성 공급자에게 줍니다.

그러니까 유동성 공급자들은 100개의 이더와 100개의 다이를 제공함으로써 거래소가 수수료 수익을 얻는 것처럼 계속 수수료 수익을 받을 수 있는 구조가 나오는 것입니다.

정말 훌륭한 괜찮은 시스템 아닙니까?

이렇게 자동으로 돌아가는 덱스 거래소의 기본적인 컨셉입니다.

이렇게 해서 거래소가 하던 일을 유동성 공급자들이 하게 되는 것입니다.

개발자들이 만들지만 개발자들이 주도하지는 않고 탈중화된 덱스에서 거버넌스 토큰이라는 걸 만듭니다.

그것이 유니스압의 유니입니다.
유니를 이미 발행을 했고 유동성 공급자들에게 배분을 해준것입니다.

그래서 유동성 공급을 한 사람들에게 플러스 알파로 유니라는 토큰을 줍니다.

그러면 유동성 공급자는 수수료 수입 플러스 유니라는 거버넌스 토큰을 가짐으로 인해서 주주가 되는 것입니다.

그래서 UNI를 가지고 있으면 앞으로 유니스왑의 개발 로드맵이나 향후 여기 어떤 풀들을 어떤 토큰을 여기에 상장시킬 것인지 그러한 것들을 관리할 수가 있습니다.

그래서 보통 거래소가 수수료 수익 내고 토큰 상장할 때 그러한 토큰 상장에 대한 리스트 심사 비용들이 발생합니다.

그런 수익들이 탈중앙화된 형태로 모든 참여자들이 같이 나눠 가질 수 있는 컨셉입니다.

블록체인의 탈중앙화된 생태계를 가장 먼저 구현한 거래소가 바로 유니스왑입니다.

덱스 거래소는 굉장한 의미를 가지고 있는 것입니다.

여기까지가 전체 컨셉입니다.

유니스왑은 독보적이고 혁신적인 기술로 평가되고 있습니다.

유니스왑의 주요 특징은 다음과 같습니다.
• **탈중앙화**:유니스왑은 중앙기관의 통제를 받지 않는 탈중앙

화 거래소입니다.
- **낮은 수수료**:유니스왑은 중앙화 거래소에 비해 수수료가 낮습니다.
- **유동성 공급**:유니스왑은 사용자들이 유동성을 공급하여 거래를 가능하게 합니다.

메타마스크는 이더리움 기반의 웹3.0 지갑입니다. 메타마스크는 사용자가 이더리움 네트워크와 상호 작용할 수 있도록 하는 플랫폼입니다.

메타마스크
메타마스크의 주요 특징은 다음과 같습니다.
- **웹3.0 지갑**:메타마스크는 웹3.0 지갑으로서, 사용자가 이더리움 네트워크에서 자산을 보관하고 관리할 수 있습니다.
- **DApp 접근**:메타마스크를 통해 탈중앙화 애플리케이션(DApp)에 접근할 수 있습니다.
- **익명성**:메타마스크를 통해 익명으로 웹3.0 환경을 사용할 수 있습니다.
이더리움, 폴리곤, OES, 유니스왑, 메타마스크는 모두 블록체인 기술을 기반으로 하는 플랫폼입니다. 이들은 각각의 특징과 장단점을 가지고 있으며, 블록체인 기술의 발전과 함께 발전해 나갈 것입니다.

DEX 거래소와 CEX 거래소의 차이점
DEX 거래소와 CEX 거래소는 모두 암호화폐를 사고팔 수 있는 거래소이지만, 그 구조와 운영 방식에 있어 몇 가지 중요한 차이점이 있습니다.

DEX 거래소는 탈중앙화 거래소를 의미합니다. DEX 거래소는 중앙기관의 통제 없이 사용자들이 서로 직접 거래할 수 있도록 하는 플랫폼입니다. DEX 거래소는 스마트 컨트랙트를 기반으로 운영되며, 사용자들은 자신의 지갑을 사용하여 거래를 진행합니다.

CEX 거래소는 중앙화 거래소를 의미합니다. CEX 거래소는 중앙기관이 사용자의 자산을 보관하고, 거래를 중개하는 플랫폼입니다. CEX 거래소는 사용자의 신원 정보를 수집하고, KYC(Know Your Customer) 절차를 거치기 때문에, DEX 거래소에 비해 안전하다는 장점이 있습니다.

DEX 거래소와 CEX 거래소의 비교

특징	DEX 거래소	CEX 거래소
중앙화 여부	탈중앙화	중앙화
운영 방식	스마트 컨트랙트 기반	중앙기관 기반
자산 보관	사용자 지갑	중앙기관 지갑
KYC 절차	필요 없음	필요함
수수료	낮음	높음
거래 종류	다양한 종류의 거래 가능	제한적
익명성	높음	낮음

안정성	낮음	높음

DEX 거래소의 장단점

DEX 거래소의 장점은 다음과 같습니다.

- **탈중앙화**:중앙기관의 통제를 받지 않기 때문에, 사용자의 자산을 보호할 수 있습니다.
- **저렴한 수수료**:중앙기관의 마진이 없기 때문에, 수수료가 저렴합니다.
- **다양한 거래 종류**:토큰 스왑, 마진 거래, 파생상품 거래 등 다양한 종류의 거래를 지원합니다.
- **익명성**:KYC 절차가 없기 때문에, 익명으로 거래할 수 있습니다.

DEX 거래소의 단점은 다음과 같습니다.

- **높은 위험성**:중앙기관이 없기 때문에, 해킹이나 시스템 오류에 대한 위험이 높습니다.
- **낮은 유동성**:거래량이 적기 때문에, 원하는 가격에 거래하기 어려울 수 있습니다.
- **복잡한 사용**:스마트 컨트랙트 기반으로 운영되기 때문에, 사용이 복잡할 수 있습니다.

CEX 거래소의 장단점

CEX 거래소의 장점은 다음과 같습니다.

- **안전성**:중앙기관이 사용자의 자산을 보관하기 때문에, 안전합니다.

- **높은 유동성**:거래량이 많기 때문에, 원하는 가격에 거래하기 쉽습니다.
- **간편한 사용**:중앙기관이 운영하기 때문에, 사용이 간편합니다.

CEX 거래소의 단점은 다음과 같습니다.
- **높은 수수료**:중앙기관의 마진이 있기 때문에, 수수료가 높습니다.
- **제한된 거래 종류**:토큰 스왑, 현물 거래 등 제한된 종류의 거래만 지원합니다.
- **익명성**:KYC 절차가 필요하기 때문에, 익명으로 거래할 수 없습니다.

DEX 거래소와 CEX 거래소의 선택

DEX 거래소와 CEX 거래소는 각각 장단점이 있으므로, 사용자의 요구에 따라 적합한 거래소를 선택하는 것이 중요합니다.
- **안전성과 편의성을 중시하는 사용자**:CEX 거래소
- **탈중앙화와 저렴한 수수료를 중시하는 사용자**:DEX 거래소

DEX 거래소와 CEX 거래소 모두 앞으로도 지속적으로 발전할 것으로 예상됩니다. DEX 거래소는 탈중앙화와 저렴한 수수료의 장점을 바탕으로, CEX 거래소는 안전성과 유동성의 장점을 바탕으로, 각각의 시장에서 경쟁력을 강화해 나갈 것입니다.

코인마켓캡은 암호화폐의 시가총액, 가격, 거래량 등 다양한 데이터를 제공하는 웹사이트입니다. 암호화폐 시장의 전체적인 흐름을 파악하고, 특정 암호화폐에 대한 정보를 얻기 위해 사용됩니다.

코인마켓캡

코인마켓캡의 주요 기능은 다음과 같습니다.

- **암호화폐 시가총액**:전 세계 암호화폐의 시가총액을 실시간으로 제공합니다.
- **암호화폐 가격**:전 세계 주요 거래소에서 거래되는 암호화폐의 가격을 실시간으로 제공합니다.
- **암호화폐 거래량**:전 세계 주요 거래소에서 거래되는 암호화폐의 거래량을 실시간으로 제공합니다.
- **암호화폐 뉴스**:암호화폐 관련 뉴스를 제공합니다.

게코터미널은 암호화폐 거래를 위한 분석 도구입니다. 암호화폐의 가격, 거래량, 차트 등 다양한 데이터를 제공하여, 거래 전략을 수립하고, 거래를 실행하는 데 도움을 줍니다.

게코터미널의 주요 기능은 다음과 같습니다.

- **암호화폐 가격**:전 세계 주요 거래소에서 거래되는 암호화폐의 가격을 제공합니다.
- **암호화폐 거래량**:전 세계 주요 거래소에서 거래되는 암호화폐의 거래량을 제공합니다.
- **암호화폐 차트**:암호화폐의 가격 변동을 시각적으로 확인할

수 있는 차트를 제공합니다.

- **암호화폐 지표**:암호화폐의 가격을 분석하는 데 도움을 주는 지표를 제공합니다.
- **암호화폐 거래**:게코터미널을 통해 직접 암호화폐를 거래할 수 있습니다.

덱스크리너는 암호화폐 거래소를 비교하는 웹사이트입니다. 암호화폐 거래소의 수수료, 거래량, 보안성 등 다양한 정보를 제공하여, 사용자에게 적합한 거래소를 선택할 수 있도록 도움을 줍니다.

덱스크리너
덱스크리너의 주요 기능은 다음과 같습니다.

- **암호화폐 거래소 비교**:전 세계 주요 거래소의 수수료, 거래량, 보안성 등 다양한 정보를 비교하여 보여줍니다.
- **암호화폐 거래소 리뷰**:암호화폐 거래소에 대한 리뷰를 제공합니다.
- **암호화폐 거래소 소식**:암호화폐 거래소 관련 소식을 제공합니다.

코인마켓캡, 게코터미널, 덱스크리너는 모두 암호화폐 투자자들에게 유용한 도구입니다. 암호화폐 시장의 흐름을 파악하고, 거래 전략을 수립하기 위해 사용될 수 있습니다.

e-Money토큰(전자화폐토큰) MiCA는 유럽연합(EU)이 제정한 가상자산시장(Markets in Crypto-assets, MiCA) 규제의 일환으로, 전자화폐토큰(e-Money tokens)을 규율하는 법안입니다.

e-Money토큰은 법정화폐에 연동된 가치를 가지는 가상자산을 의미합니다. 즉, e-Money토큰은 법정화폐와 동일한 가치로 사용될 수 있습니다.

MiCA는 e-Money토큰을 다음과 같이 정의하고 있습니다.

"전자화폐토큰은 다음과 같은 특징을 갖는 가상자산을 말합니다.

법정화폐에 연동된 가치를 가집니다.

발행자는 금융기관이어야 합니다.

발행자는 e-Money토큰의 발행, 관리, 환매에 대한 책임을 집니다.

e-Money토큰은 법정화폐와 동일한 목적(예: 결제, 저축 등)으로 사용될 수 있습니다."

MiCA는 e-Money토큰 발행자에 대한 다음과 같은 규정을 두고 있습니다.

발행자는 금융기관이어야 합니다.

발행자는 e-Money토큰의 발행, 관리, 환매에 대한 책임을 집니다.

발행자는 e-Money토큰의 발행에 대한 적절한 내부 통제 절차를 마련해야 합니다.

발행자는 e-Money토큰의 발행에 대한 적절한 위험 관리 절차를 마련해야 합니다.

MiCA는 e-Money토큰 거래소에 대한 다음과 같은 규정을 두고 있습니다.

e-Money토큰 거래소는 EU에 등록해야 합니다.

e-Money토큰 거래소는 고객 신원 확인(KYC) 절차를 거쳐야 합니다.

e-Money토큰 거래소는 자금 세탁 방지(AML) 규정을 준수해야 합니다.

MiCA는 2024년 1월 1일부터 시행될 예정입니다. MiCA의 시행으로 e-Money토큰의 안정성과 투명성이 향상될 것으로 기대됩니다.

가상자산은 블록체인 기술을 기반으로 하는 디지털 자산으로, 다음과 같은 장점을 가지고 있습니다.

- **분산화**:가상자산은 중앙기관의 통제를 받지 않고, 블록체인 네트워크에 참여하는 모든 사용자들이 관리합니다. 따라서, 중앙기관의 부패나 도난의 위험이 적습니다.
- **투명성**:가상자산의 거래 내역은 모두 블록체인에 기록되어 공개됩니다. 따라서, 거래의 투명성을 확보할 수 있습니다.
- **효율성**:가상자산의 거래는 중개자가 필요하지 않습니다. 따라서, 거래의 효율성을 높일 수 있습니다.

가상자산은 다음과 같은 가능성을 가지고 있습니다.

- **새로운 결제 수단**:가상자산은 기존의 결제 수단보다 빠르고, 저렴하며, 편리합니다. 따라서, 새로운 결제 수단으로 자리 잡을 수 있습니다.
- **새로운 투자 수단**:가상자산은 가격 변동성이 크지만, 높은 수익을 기대할 수 있습니다. 따라서, 새로운 투자 수단으로 활용

실전 투자 전략

될 수 있습니다.

- **새로운 금융 시스템**:가상자산은 기존의 금융 시스템의 문제점을 해결할 수 있는 잠재력을 가지고 있습니다. 따라서, 새로운 금융 시스템의 기반으로 활용될 수 있습니다.

그러나, 가상자산은 아직 초기 단계에 있으며, 다음과 같은 단점도 가지고 있습니다.

- **가격 변동성**:가상자산의 가격 변동성이 매우 크기 때문에, 투자 위험이 높습니다.
- **규제**:가상자산은 아직 법적으로 명확하게 규제되지 않고 있습니다. 따라서, 규제의 불확실성이 존재합니다.
- **보안성**:가상자산의 보안성은 아직 완벽하지 않습니다. 따라서, 해킹이나 사기의 위험이 존재합니다.

가상자산의 장점과 가능성을 살펴보면, 가상자산은 기존의 금융 시스템을 변화시킬 수 있는 잠재력을 가지고 있습니다. 그러나, 가상자산의 단점도 고려하여, 투자를 결정하는 것이 중요합니다.

정부와 규제는 가상자산의 발전과 안정을 위해 중요한 역할을 합니다. 정부와 규제는 다음과 같은 역할을 수행할 수 있습니다.

- **투자자 보호**:정부와 규제는 가상자산 투자자의 보호를 위해 노력해야 합니다. 이를 위해, 가상자산의 투자 위험을 알리고, 투자자 보호를 위한 규정을 마련해야 합니다.
- **금융 안정성 확보**:정부와 규제는 가상자산이 금융 시스템에

미치는 영향을 고려하여, 금융 안정성을 확보하기 위한 노력을 해야 합니다. 이를 위해, 가상자산의 투명성과 안정성을 제고하기 위한 규정을 마련해야 합니다.

- **범죄 예방**:정부와 규제는 가상자산이 범죄에 악용되는 것을 방지하기 위한 노력을 해야 합니다. 이를 위해, 자금 세탁 방지 (AML) 규정 등을 마련하여, 가상자산을 이용한 범죄를 예방해야 합니다.

정부와 규제는 가상자산의 발전과 안정을 위해, 다음과 같은 사항을 고려하여 규제를 마련해야 합니다.

- **가상자산의 특성**:가상자산은 기존의 금융 상품과는 다른 특성을 가지고 있습니다. 따라서, 가상자산의 특성을 고려하여 규제를 마련해야 합니다.
- **국제적 조화**:가상자산은 글로벌 시장에서 거래되고 있습니다. 따라서, 국제적 조화를 고려하여 규제를 마련해야 합니다.
- **유연성**:가상자산 시장은 빠르게 변화하고 있습니다. 따라서, 가상자산 시장의 변화에 대응할 수 있는 유연한 규제를 마련해야 합니다.

정부와 규제는 가상자산의 발전과 안정을 위해, 신중하고 균형 잡힌 접근을 통해 규제를 마련해야 합니다.

가상자산은 다양한 분야에서 활용될 수 있습니다. 대표적인 활용 사례는 다음과 같습니다.

실전 투자 전략

- **결제**:가상자산은 기존의 결제 수단보다 빠르고, 저렴하며, 편리하다는 장점이 있습니다. 따라서, 결제 수단으로 활용될 수 있습니다. 실제로, 일부 기업과 국가에서는 가상자산을 결제 수단으로 허용하고 있습니다.
- **투자**:가상자산은 가격 변동성이 크지만, 높은 수익을 기대할 수 있다는 장점이 있습니다. 따라서, 투자 수단으로 활용될 수 있습니다. 실제로, 많은 투자자들이 가상자산에 투자하고 있습니다.
- **금융**:가상자산은 기존의 금융 시스템의 문제점을 해결할 수 있는 잠재력을 가지고 있습니다. 따라서, 새로운 금융 시스템의 기반으로 활용될 수 있습니다. 실제로, 일부 기업과 국가에서는 가상자산을 기반으로 하는 새로운 금융 상품과 서비스를 개발하고 있습니다.
- **기타**:가상자산은 다양한 분야에서 활용될 수 있는 잠재력을 가지고 있습니다. 예를 들어, 가상자산은 다음과 같은 분야에서도 활용될 수 있습니다.
  - **게임**:게임 내에서 가상자산을 사용하여 아이템이나 서비스를 구매할 수 있습니다.
  - **마이닝**:가상자산을 채굴하여 수익을 창출할 수 있습니다.
  - **자선**:가상자산을 기부하여 사회에 기여할 수 있습니다.

가상자산의 활용 사례는 앞으로도 더욱 다양해질 것으로 예상됩니다.

디지털 자산 시대는 디지털 자산이 전통적인 유형의 자산과 동등한 가치를 갖는 시대입니다. 디지털 자산은 암호 화폐, NFT, 디지털 통화 등과 같은 디지털 형태로 존재하는 자산입니다.

디지털 자산 시대는 다음과 같은 특징을 가지고 있습니다.

- **탈중앙화**:디지털 자산은 중앙 기관의 통제 없이 운영됩니다.
- **투명성**:디지털 자산의 거래 내역은 모두 블록체인에 기록되어 공개됩니다.
- **효율성**:디지털 자산의 거래는 중개자가 필요하지 않습니다.

디지털 자산 시대는 다음과 같은 변화를 가져올 것으로 예상됩니다.

- **새로운 결제 수단의 등장**:디지털 자산은 기존의 결제 수단보다 빠르고, 저렴하며, 편리합니다. 따라서, 새로운 결제 수단으로 자리 잡을 수 있습니다.
- **새로운 투자 수단의 등장**:디지털 자산은 가격 변동성이 크지만, 높은 수익을 기대할 수 있습니다. 따라서, 새로운 투자 수단으로 활용될 수 있습니다.
- **새로운 금융 시스템의 등장**:디지털 자산은 기존의 금융 시스템의 문제점을 해결할 수 있는 잠재력을 가지고 있습니다. 따라서, 새로운 금융 시스템의 기반으로 활용될 수 있습니다.

디지털 자산 시대는 아직 초기 단계에 있지만, 빠르게 발전하고 있습니다. 디지털 자산 시대의 도래는 우리 사회에 큰 변화를 가져올 것으로 예상됩니다.

ONE을 선택해야 하는 이유

원에코시스템(ONE Ecosystem) 한국개발회의 행사 개최
[출처]원에코시스템(ONE Ecosystem) 한국개발회의 행사 개최
작성자미래지불수단

"암호화폐 ONE의 유용성을 통해 미래지불수단의 길을 모색하다."

지난 6월 14일 서울 명동 포스트타워에서 한국 원에코시스템 본

부의 주관으로 한국개발회의가 개최되었다.

이날 회의는 원에코시스템 본사 CEO(벤츠슬라브 즐라트코프)와 경영진을 비롯하여 원에코시스템 프로젝트에 참여한 한국 회원들이 참석한 가운데 암호화폐 ONE의 유용성을 주제로 하여 다양한 프레젠테이션이 진행되었고 경영진과의 직접 소통을 통해 각종 이슈에 대한 논의를 하였다.

이번 행사는 한국의 원에코시스템과 딜쉐이커 시장의 확장을 위한 일환으로 본사 경영진이 직접 내한하여 한국 커뮤니티의 활동을 격려하고 응원하였으며 다양한 거래 플랫폼의 소개와 질의 응답을 통한 토론회 형식으로 진행되었다.

1부에서는 ONE이 지불수단의 역할과 기능을 할 수 있도록 본사가 자체 개발한 거래 플랫폼을 소개하였으며 이를 통해 ONE의 유용성을 입증하고자 하였다.

이번 행사에서 소개된 플랫폼은 원비타(ONE VITA), 원보이지(ONE VOYAGE), 원포렉스(ONE FOREX) 등이다.

특히 커뮤니티의 직접 참여로 거래 시장을 만들어가는 딜쉐이커 플랫폼에 탑재될 환전 풀(Exchange Fool)이 소개가 되었는데 이는 ONE을 소유하지 못한 잠재 고객들과 상인들을 위하여 ONE과 법정화폐(Fiat)의 교환 기능을 담당할 것이라고 하였으며 이는 올해 3~4분기 정도에 가동될 예정이라고 하니 국내 상인들의 관심과 참여가 더욱 더 가속화될 것으로 기대를 모으고 있다.

2부에서는 향후 회사의 로드맵과 암호화폐 ONE에 대한 한국 커

실전 투자 전략

뮤니티 구성원들의 궁금증을 해소하기 위한 세션으로 질의 응답을 통해 경영진과 매우 다양한 주제들에 대하여 토론이 진행되었다.

원에코시스템 플랫폼의 리브랜딩 및 새로운 블록체인으로 이전하는 과정에서 생기는 로그인 이슈를 비롯하여 현 암호화폐 시장의 동향과 내년 유럽연합 제도권에서 시행되는 MiCA 법안에 따른 회사 차원의 준비와 로드맵 등 주요 논제들이 다루어졌다. 이 자리에서 CEO는 암호화폐 ONE이 지불수단의 역할과 기능에 충실한 전자화폐 토큰임을 밝혔으며 MiCA 법안 시행에 따른 만반의 준비를 갖추었다고 발표하였다. 또한 유럽 연합의 영향권 아래에 있는 스위스에 법인을 두고 적법한 절차에 따라 회사가 운영되고 있기 때문에 제도권의 인가에 큰 문제가 없다는 말도 덧붙였다.
참고로 원에코시스템 본사는 스위스 바젤에 위치하고 있다.
행사 마지막에 CEO는 회사 차원에서 원에코시스템 프로젝트의 발전을 위하여 각 국가별로 Country Board 제도를 도입하고 본사와 커뮤니티 구성원들 간에 원활한 소통을 도모하겠다는 의지를 보였으며 한국 지역을 담당할 임원들을 직접 임명하여 소개하기도 하였다.
본사 경영진과 한국 원에코시스템 본부 임원들은 14일 명동에서 컨퍼런스를 마친 후 다음날 15일에는 천안 딜쉐이커 마트를 방문하여 암호화폐 ONE이 실제 사용되고 있는 오프라인 매장과 그 곳의 운영시스템을 점검하고 상인들에게 응원과 격려의 인사도 전했다.

또한 이날 오전에는 딜쉐이커의 입점을 위해 중소기업 대표진과 상인들의 미팅이 이루어지기도 하였는데 향후 한국 딜쉐이커 시장의 기틀을 다질 수 있는 중요한 초석이 될 것으로 보인다.

암호화폐의 대명사로 불리는 비트코인이 세상에 출현한 이후 우리는 전 세계적인 코인 열풍을 경험했다.

비트코인의 영향으로 수많은 알트코인들이 시장에 쏟아져 나오기 시작하면서 암호화폐에 대한 지식과 경험이 부족한 평범한 일반인들까지 미래 디지털자산에 대한 투자라는 명목으로 한때 암호화폐 시장은 투기 과열 현상이 초래되기도 하였다. 이러한 투자 분위기가 형성된 배경에는 인터넷 미디어 매체들과 거래소들도 한 몫을 했다는 것은 부정할 수 없는 사실이다.

물론 시대의 트렌드라고 치부해 버릴 수도 있다.

하지만 이것이 과연 진정으로 비트코인이 만들려고 했던 금융 세상이었는지 의구심이 들 때가 있다.

비트코인은 백서에서 분명히 <개인 대 개인의 전자화폐 결제시스템>이라는 개념으로 소개하고 있었다.

이것은 다른 말로 풀이하면 시장에서 화폐(지불수단)의 역할을 하겠다는 의미로 해석할 수 있는데 지금 현 상황에서는 가치의 교환이라는 명분 아래 결국 대중들은 투자 수익을 위한 도구로만 생각할 뿐이다.

이렇게 단순히 금융상품이 되어 버린 현 상황을 어떻게 이해해야 하는가?

더구나 최근 비트코인을 둘러싼 ETF 현물거래 신청에 대한 기사가 또 다시 지면에 오르내리고 있는데 그동안 ETF 현물거래를 계속 거부해 왔던 SEC가 어떤 결정을 내릴지 귀추가 주목된다.

비트코인은 화폐인가 상품인가? 진정 아이러니한 상황이다.

비트코인이 말한 전자화폐 결제시스템은 기존 금융시스템에 반기를 들고 시작했던 디지털화폐 혁명이다.

하지만 현 상황에서 비트코인의 정체성은 무엇으로 설명할 것인가?

결국 비트코인은 기존 금융시스템의 벽을 넘지 못하고 그들의 시스템에 스며들어 한 배를 탄 것은 아닐까 싶다.

비트코인의 철학은 금융 유토피아를 실현하고 싶었겠지만 그들이 간과한 사실이 하나 있다.

그것은 바로 황금만능주의 시대에 살고 있는 인간의 돈에 대한 욕망과 탐욕이다.

현재 암호화폐 시장은 미래를 예측할 수 없을 정도로 매우 혼란한 상황이 연출되고 있다.

유럽 연합과 미국을 비롯하여 국제통화기금(IMF), 연방준비제도이사회(FRB), 미국의 증권거래위원회(SEC) 등 전세계의 내노라 하는 금융관련 기관들이 앞 다투어 암호화폐 시장에 대한 규제를 본격화하고 있다.

특히 유럽 연합(EU)은 전 세계 최초로 암호자산 시장의 규제를 위해 내년 MiCA 법안의 시행을 앞두고 있는데 향후 디지털자산 시장의 미래를 좌우하는 최대 전환점이 될 것으로 예상하고 있다.

원에코시스템은 암호화폐 ONE을 중심으로 이루어진 금융 플랫폼인 동시에 새로운 미래 라이프를 연출하기 위해 기획한 플랫폼 산업의 단면을 여실히 보여주고 있다.

다시 말해, 금융, 쇼핑, 여행 등 인간 생활의 필수 플랫폼을 구성하고 암호화폐 ONE을 지불수단(화폐)으로 사용하여 그것의 유용성을 입증하고 확장하기 위한 프로젝트로 해석할 수 있다.

암호화폐를 수익 창출을 위한 수단으로 인식해 왔던 대중들이 과연 이러한 개념을 이해할 수 있을까?

또한 전통 금융시스템을 기반으로 하는 제도권에서는 과연 이를 인정하고 수용할 수 있을까?

이번 행사에서 원에코시스템 CEO는 내년에 시행하는 유럽 연합의 MiCA 법안에 따른 제도권 인가를 위하여 필요한 라이선스를 획득하였고 만반의 준비를 하고 있다고 확신에 찬 어조로 발언을 하였다.

암호화폐 ONE을 미래의 지불수단으로 만들기 위해 노력하는 원에코시스템의 비전과 철학이 앞으로 디지털 시대를 살아 갈 대중들에게 어떤 의미로 비추어질 것인지 궁금하다.

이제는 그들의 행보를 관심있게 지켜볼 필요가 있다.

또한 대중들이 암호화폐를 새롭게 인식하고 재조명할 수 있는 계기가 만들어지기를 기대해 본다.

[출처] 원에코시스템(ONE Ecosystem) 한국개발회의 행사 개최 | **작성자**미래지불수단

KINTEX, K-POP과 함께하는 '원코인 딜쉐이커 코리아 엑스포' 개최

[폴리뉴스 서경선 기자]8월 4일부터 5일까지 킨텍스에서 K-POP과 함께하는 '원코인 딜쉐이커 코리아 엑스포'가 개최된다.

이날 엑스포는 ONE Ecosystem 최고경영자인 벤티시스라브 즐라코프(Ventisislav Zlatkove) 회장의 특별강연을 시작으로 마지막 날인 5일에는 화려한 K-POP 공연무대가 펼쳐지는 디너쇼가 열릴 예정이다.

K-POP 공연에는 뮤지컬 배우 크리스(CHRIS), 개그맨 이상민, 이상호, 팝페라 가수 아리현, 래퍼 크라이버, 4인조 걸 그룹 와킵

스 등 다양한 정상급 아티스트가 출동한다.

아울러 가전, 의류, 김치. 홍삼. 화장품, 생활가전, 먹거리·건강기능식품, 이동식 카페 등 다양한 품목의 현장 판매 부스 100여 개가 세워져서 코인으로 구매할 수 있도록 한다.

박람회는 ONE코인 유저가 아니어도 누구나 관람이 가능하다.

현재 유럽연합(EU)은 암호자산 시장의 규제를 위해 내년 MCA 법의 시행을 앞두고 있는데 향후 디지털자산 시장의 미래를 좌우하는 전환점이 될 전망이다.

이에 대해 ONE Ecosystem KOREA 관계자는 "ONE Ecosystem 은 내년에 시행하는 유럽연합의 MiCA법안에 따른 제도권 인가를 위하여 필요한 라이선스를 획득하였고 만반의 준비를 하고 있다"고 밝혔다.

출처 : 폴리뉴스 Polinews(https://www.polinews.co.kr)
또 그는 "세상을 바꾸는 기술을 모토로 내건 원코인은 투명하고 안전한 암호화폐를 추구겠다는 것을 널리 알리기 위해 이 행사를 준비했다"고 밝혔다.

이어 그는 "특히 커뮤니티의 직접 참여로 거래 시장을 만들어가는 딜쉐이커 플랫폼에 탑재한 환전 시스템(Exchange Pool)이 소개되었다"며 "이는 ONE을 소유하지 않은 잠재 고객들과 판매 기업을 위한 ONE과 법정화폐의 교환 기능을 담당할 것이고, 올 해 3-4분기에 가동될 것"이라고 밝혔다.

이날 한국 엑스포를 마련한 원에코시스템(ONE Ecosystem)은 2014년 9월에 설립된 암호화화폐 그룹으로 스위스에 본사를 둔 글로벌 교육회사로 불가리아에 운영본부를 두고 있다.

ONE은 암호자산 분류 중에 전자화폐 토큰에 해당하며 태생 목 적은 지불수단이다. ONE Ecosystem은 암호화폐 ONE을 사용하 기 위한 플랫폼이며 매우 다양하게 구성되어 있다.

가장 잘 알려진 것이 딜쉐이커(DEAL SHAKER)로 ONE을 결제 수단으로 사용하는 전세계 온라인 상거래 플랫폼(쇼핑몰)으로 현재 198개국의 상인들과 구매자들이 이용하고 있다.

딜쉐이커(DEAL SHAKER)에서는 100% ONE코인과 유로화로 구매와 판매가 가능하다. 100만개의 판매자와 1000만명의 구매 자를 목표로 하고 있다.

원포렉스(ONE FORXE) 외환거래 시장을 위한 아카데미에서 배 운 기술을 실시간으로 거래하고 배울수 있는 다양한 암호화폐 가 있는 FORXE기반 거래 플랫폼이다.

이외에도 숙박, 항공, 크루즈, 렌터카 등 관광 플랫폼인 원보이저(ONE VOYAGE), 헬스케어와 바이오 플랫폼 원비타(ONE VITA), 에듀테크 기반 교육플랫폼 원아카데미(ONE ACADEMY)가 있다.

또 원체리티(ONE CHARITY)는 ONE 유저들의 기부 플랫폼으로 아프리카 저개발국과 세계 빈곤층 어린이들 13만188명을 구제하였고 70만이 넘는 코인이 기부되었다.

출처 : 폴리뉴스 Polinews(https://www.polinews.co.kr)

Mai Loan 아시아 총괄은 이미 11월 20일 밤 라이브 방송에서 회사가 세 가지 준비를 마쳤다고 말했습니다!

첫 번째 손 준비는 OES가 유럽 연합이 인정하는 금융 상품으로 직접 인정하기 위해 유럽 연합에 의해 선정되었다는 것입니다!

원에코시스템은 유럽연합 규정의 출시 및 시행 일정에 맞춰 배포를 진행하였으며, 유럽연합 규정을 준수하기 위한 모든 준비를 마쳤고, 현재 유럽연합 조건을 준수할 수 있는 유일한 마켓은 우리 회사의 OES 코인뿐입니다! 우리가 선정될 확률이 매우 높습니다!

두 가지 중요한 시점이 있습니다.

1, 2024년 6월 30일부터 유럽 경제 지역(EEA)에서 MICA 규정의 일부가 시행됩니다.

2, 2024년 12월 30일, 규정(EU) 2023/1114가 발효됩니다. 이는 디지털 자산 관리에 관한 가장 완벽한 규정으로, 전 세계에서 처음으로 발표되고 시행될 예정입니다.

그렇다면 이 규정이 시행되면 합법적이고 안정적인 암호화폐 개발을 어떻게 촉진할 수 있을까요?

EU MICA 규정에 따라 EU는 디지털 통화를 EU의 금융 상품 중 하나로 선정하는 절차를 진행 중이며, 현재 EU의 엄격한 규정을 준수하는 유일한 통화는 우리의 OES 코인이며, 2024년에 선정되면 우리는 세계적으로 인정받는 최초의 결제 수단이자 세계에서 6번째로 큰 결제 통화가 되는 데 완전히 성공하게 될 것입니다!

2024년 6월 30일 또는 12월 30일에 EU MICA 규정의 시행과 라이센스를 기다리고 있으며, 글로벌 결제 수단이 되는 것이 목표입니다.

전 세계에는 많은 종류의 전자 화폐가 있지만 현재 OES 자격을 갖춘 것은 우리뿐이며, 앉아서 기다릴 수는 없지만 더 많은 일을 하고 상황의 모든 측면을 고려하여 우리의 조건이 더 유리해질 수 있도록 노력해야 합니다. 모든 준비를 마친 우리 회사는 EU 법률 및 규정의 도입을 기다리고 있으며 다음 단계를 수행 할 수 있습니다.

두 번째 준비는 비트코인과 유사한 디지털 통화로 운영을 시작 하는 것인데, 두 가지 준비만 하면 걱정할 필요가 없습니다. 혹 시라도 EU에서 인정하는 금융 결제 수단으로 선정되지 않더라 도 이미 두 개의 주요 거래소와 두 개의 주요 지갑과 연동하여 비트코인과 유사한 디지털 통화로 운영을 시작할 것입니다! 두 손, 걱정하지 마세요.

A. 저희는 누구에게도 의존하지 않고 42.5유로로 가격을 책정하 는 등 독립적으로 자체 가치를 창출할 수 있습니다. EU와 세계 가 우리를 선택하면 우리도 세계의 가치를 창출합니다. 우리는 OES를 사용하여 집이나 비행기 표를 살 수 있으므로 어떤 국가 가 우리를 받아들이면 세수를 얻고, 받아들이지 않으면 세수를 잃게 됩니다.

B . EU가 우리를 선택하지 않고 비트코인과 비슷한 길을 가기 시작하면 서클 B가 이를 받아들이기 때문에 우리는 여전히 OES 를 기꺼이 받아들이는 사람들 사이에서 그것을 사용할 수 있습 니다. EU가 받아들이지 않더라도 우리는 여전히 떠날 수 있지 만, 우리는 우리 자신의 은행이 될 수 있고 각 회원은 자신의 지 점이되고 회사는 본사가 될 수 있다는 의미에서. [3] 우리가 얼마

실전 투자 전략

나 많은 돈을 가지고 있는지, 얼마나 많은 파트너가 있는지, 사람들이 걱정할 필요가없는 것들입니다.

그들의 역량은 우리의 상상을 초월합니다. 그들은 또한 우리 ONE의 40 %를 손에 쥐고 있기 때문에 우리의 OES를 쓸모 없게 만들 수있는 방법이 없습니다.

세 번째 준비는 딜쉐이커의 크로스보더 이커머스를 구축하고 IPO 상장을 재개하는 것입니다.

우리에게는 세 가지 목표가 있습니다.

첫 번째는 글로벌 결제 통화가 되는 것입니다.

두 번째는 모든 전자 화폐로 교환할 수 있는 것입니다.

세 번째는 딜쉐이커의 크로스보더 이커머스 데이터를 구축하고 IPO 상장 절차를 재개하는 것입니다!

IPO를 하려면 세 개의 이사회가 필요합니다.

회사의 제품 ONE VITA (뷰티 시리즈 생활 제품)가 중국 시장에서 판매되고 있으며, 유통을하고 싶은 사람은 회사의 제품을 홍보하기 위해 회사의 제품인 Huang Zhijie를 찾아서 더 많은 회원이 우리의 좋은 제품을받을 수 있도록 할 수 있습니다. 뷰티는 이제 50 % 현금 + 50 % 포인트이며,이 표준에 따라 글로벌 통합은 재무 제표를 작성하는 것입니다.

우리는 상장을 목표로 원비타 화장품을 판매하러 갑니다. 상장을 하고 나면 제품도 있어야 하고 매출도 있어야 하고 이익도 있어야 하는데, 상장을 하기 위한 회사의 미래를 위한 일이라는 것도 이해해 주셨으면 좋겠어요.

상장을 위해서는 세 개의 이사회가 필요합니다.

첫 번째 부문은 원비타 코스메틱입니다.

두 번째는 쇼핑몰 거래 데이터입니다.

세 번째는 주변 사람들의 추가입니다.

Mai Loan은 이 자리에서 너무 빨리 가지 않고 우리가 원하는 목표를 향해 한 걸음 한 걸음 꾸준히 나아가는 회사에 특별한 감사를 표하고 싶다고 말했습니다. 이전의 다른 코인들처럼 너무 빨리 가지 않고 모두 실패했습니다. 이제 우리는 어느 쪽이든 성공할 수 있는 준비가 잘 되어 있습니다. 우리는 곧, 아주 곧 우리가 원하는 곳에 도달할 수 있습니다!

실전 투자 전략

구글검색 : 원에코시스템.eu https://oneecosystem.eu/

구글검색 : polygon oes

https://polygonscan.com/token/
0xb85cfa8fe6801dd77a2004836727eb58c8e883a7

https://www.geckoterminal.com/ko/polygon_pos/pools/
0x41a9e59b4e757d00e17bda0250c1a81bdcfb8ade

https://coinmarketcap.com/dexscan/polygon/
0x41a9e59b4e757d00e17bda0250c1a81bdcfb8ade/

https://dexscreener.com/polygon/
0x41a9e59b4e757d00e17bda0250c1a81bdcfb8ade

ONEECOSYSTEM 의 한국 IMA 김일석님의 OES 동영상 소개
http://m.kabnews.kr/view.php?idx=1747

밴드검색
https://band.us/band/65929010

유튜브 채널운영
ONE OES

@OneEcosystem.구독자 5,000명, 동영상600개
ONE ECOSYSTEM은 새로운 금융시스템입니다.
유튜브 크리에이터 활동

강의진행 : 강남 선릉역 4번출구 앞 더모임 (매주 화요일 오후 2
시~4시), 수원 망포역 5번출구 앞 (매주 토요일 오후 2시~4시)

<강의내용 요약>

2024년 상반기 ONE 출현 예정, ONE을 중심으로 한 금융혁명
- 날씨 매우 춥고 눈이 왔습니다
- ONE 경제 TV 운영하는 김일석 지점장입니다
- 2024년 상반기에 ONE 출현 예정

행복 나눔 재테크 포럼에 대한 타이틀
- 시간이 가까워 팩트 점검 정확해진다
- ONE을 갖고 생각과 모습이 달라진다
- ONE 에코시스템으로 행복한 세상

ONE 에코시스템의 수익 발생과 암호화폐의 가치 평가
- 외환 거래로 수익 발생 가능
- 딜쉐이커를 통해 필요 제품 구매
- ONE 암호화폐 가치: 45.25 USDT, 45$, 약6만 원, 42.5 유로
암호화폐와 한국의 금융분야

- 한정된 매장량과 높은 채굴 비용으로 금에 대한 관심 증가
- 은행들과 개인들이 금 모으기 시작
- 암호화폐에 대한 한국의 관심과 금융 분야 부각

한국은행의 디지털 화폐 발행과 금융 혜택
- BIS와 IMF는 한국을 지원하는 국제기관
- 한국은행의 디지털 화폐는 쉽게 쓸 수 있는 거래 수단
- 스마트폰을 통한 디지털 지갑은 경제 활동을 빠르게 진행할 수 있는 도구

AI와 디파이가 금융 시장에 미치는 영향
- 글로벌 경제 안정과 성장 추구
- 금융 분야의 디지털화와 AI 도입
- 전통적인 은행 시스템의 취약성과 비효율성

미국 암호화폐 회계처리와 기업의 공정가치 방식
- 미국 암호화폐 회계처리 중요
- 기업의 비트코인 회계처리
- 법인이 암호화폐 진입

회사의 암호화폐 회계기준 채택
- 암호화폐 회계자산 채택 기준 도입
- 비트코인 외 모든 암호화폐 포함
- 암호화폐는 거래 수단이 될 수 있다
암호화폐의 발전과 P2P 거래

- 물물교환에서 동전, 지폐, 카드, 페이로 발전
- 블록체인 기술로 복제 방지한 암호화폐의 등장
- 스테이블 코인의 신뢰성과 빠른 거래

비트코인, 이더리움, ONE에 대한 사상과 기술
- 부부가 ONE의 투자로 나눔시작
- 비트코인은 철학적인 사상과 시스템의 변화를 위한 기술
- 비트코인, 이더리움, ONE은 한 형제로 발명과 연구를 통해 성장

금융과 기술의 만남 : 디지털화폐와 경기 침체
- 1960년대부터 연구 시작
- 암호화폐와 블록체인 기술의 역할
- 2025년에 더 심한 코로나 대유행 예상

2023년 ONE 에코시스템 폴리곤 OES에 대한 이야기
- 거래소 상장 폐지 코인들 작년 3000여 개, 올해 10월까지 3400개 정리 필요
- 미은행 파산, 국민연금이 코인 베이스 주식투자
- ONE 에코시스템의 중요성, 최대 공급량 2,500억 개

폴리곤(Polygon) 확장으로 ONE 가치 상승, 폴리곤 전환 필수
- 금 한정자산 가치 상승
- 폴리곤 배포 완료, 폴리곤 전환 필요

- ONE 관심자들에게 ONE 가치설명

투표 시스템과 블록체인으로 컨트리보드 선거
- 투표 시스템을 블록체인으로 구현
- 시스템 환율 계산 필요
- 언어 및 통화 선택 가능

구글 지도에서 위치 설정 및 환율 확인 가능
- 위치 설정 가능
- USD 환율은 45.36달러
- 원화환율은 약 6만2천원 (환율 1368원)

암호화폐 환율과 가치 변동에 대한 이해
- 계산기로 환율 계산 및 거래 가능
- 신뢰할 수 있는 코인마켓캡을 추천
- 암호화폐 기술의 진화와 화폐화의 융합 가능성

디지털 자산 시대와 비트코인의 역할
- 지갑 속 돈의 가치와 화폐의 역할
- 디지털 자산과 토지, 금의 중요성
- 비트코인과 블록체인의 금융혁명

블록체인 기술의 중요성
- 블록체인은 분산형 데이터 저장 기술
- 은행 장부와 달리 투명하게 거래 기록
- 51% 이상의 컴퓨터 동의 없이 데이터 변경 불가능

비트코인 투자로 부자되는 방법
- 은행들이 비트코인 도입을 검토
- 비트코인 가격 5800만 원에서 변동
- 비트코인은 ONE으로 확대, ONE의 꽃피는 시대

디지털화폐와 중앙은행의 역할
- 착한 돈과 가상자산 규제
- 스테이블 코인과 변동성
- 디지털화폐와 중앙은행의 역할

STO와 NFT, 토큰 형태로 작은 투자 가능
- STO는 토큰 증권 발행
- 실물자산을 토큰으로 작게 분할하여 투자 가능
- NFT는 가치 없는 개념 없이 투자 불가

폴리곤 퍼블릭 블록체인과 USDT를 이용한 디파이 덱스 거래소
- 이더리움과 POA를 포함한 분산 원장 기술 소개
- 폴리곤 퍼블릭 블록체인과 메인넷을 활용한 거래소 설명
- USDT를 사용한 자동 수압 기능 소개
블랙욕에서의 비트코인 승인과 원의 순환에 대한 이해

- 블랙록에서 567개의 ETF 신청하여 1개만 불승인
- 비트코인 승인 확률은 99% 이상이다
- 비트코인은 우리 ONE을 이해하는데 도움

이머니 토큰과 미카법에 대한 전략
- 데이터를 실시간으로 보여주는 이머니 토큰
- 유럽연합에서 선택 받을 수 있는 기회
- 덱스 거래소에서 기술 선도 가능

미국과 한국의 암호화폐 규제 동향
- 세금을 걷는 암호화폐 규제 시작
- 미국과 한국의 암호화폐 관련 움직임
- 2024년까지 3월까지 ONE에코시스템 프로젝트 세팅 완료

은행 라이센스 소지 회사의 가상자산 규제
- 은행 라이센스를 소지한 회사만 전자화폐토크를 사용/발행 가능
- 덱스 거래소 절차에 관심
- 메타 마스크 지갑과 거래소에서 폴리곤 메틱 사용

메타 마스크와 폴리곤 네트워크를 통한 ONE의 송금
- 메타 마스크는 이더리움과 폴리본 네트워크를 사용한다
- 업비트에서 폴리곤 메틱을 사서 지갑에 보냈다
- ONE의 지갑에서 ONE을 송금하고 메타 마스크 지갑에 원의 지갑이 생성된다

메틱 가스를 사용한 싸고 안정적인 투자
 · 메틱가스 사용으로 저렴한 투자 가능
 · 회사가 안정적인 주주를 보유하고 있음
 · 예상 변동성이 낮은 안정적인 스테이블코인

폴리곤 배포와 난이도 변동에 대한 이해
 · 6개월 동안 난이도 변동, 3년 동안 묶임
 · 난이도는 제품 판매와 유저 수 증가에 영향
 · 폴리곤 배포 후 난이도 변동 예상, KYC 필수

지점장이 알려주는 실전 투자 기법

반갑습니다. 잘 들리시나요? 자 오늘 눈도 왔고 또 날씨도 매우 춥습니다. 이제 저로서는 지금 오늘이 이제 공식적인 마지막 강의가 될 것 같은데, 이번 2023년도에 그래서 안성에서 제가 멋진 강의로 이 한 해를 마무리하게 됐습니다. 저는 ONE 경제 TV를 유튜브를 운영하고 있는 김일석 지점장입니다. 반갑습니다. 오늘 제가 나눠드린 자료 한번 보시겠습니까? 우리 대표님께서 여러분들을 얼마나 사랑하시는지 그래도 자료 하나씩은 좀 주시면 좋겠다. 해서 제가 만든 자료입니다.

그래서 여기 보시면은 행복 나눔 재테크 타이틀을 걸었고 원에 코시스템은 한마디로 말해서 금융 시스템이에요. 신금융 시스템 그래서 여러분들께서 ONE 에코시스템을 신금융 시스템이다. 은행이다. 이렇게 생각하시면 가장 좀 편하게 받아들일 수 있지 않을까? 이렇게 생각이 듭니다. 그래서 우리가 그동안에 생각하고 있는 코인의 개념을 좀 버리셔야 우리 ONE을 제대로 볼 수가 있습니다. 우리 회사는 본사가 스위스 바젤에 있습니다. 여러분 스위스 바젤이 어떤 곳입니까? 금융의 허브죠 그래서 금융의 허브인 바젤 스위스에 있고 또 디지털 금융 혁명에 있어서 ONE은 생태계를 만들고 있습니다.

그래서 ONE을 중심으로 한 금융혁명이 지금 전개되고 있는 것입니다. 그래서 지금 8~9년 동안 ONE이 세상에 아직 나오지 않았지만 지금 세상에 나올 만반의 준비를 지금 다 갖추고 있습니다. 그래서 이 세상에 준비 없이 나오는 것들은 사실상은 크게 각광받기가 어렵습니다. 그런데 제가 2016년도에 비트코인을 먼저 만났지만 한 달 후에 2016년도 9월달에 제가 ONE 그 당시로는 원코인이었습니다. ONE이 원코인으로 많이 알고 계시리라고 생각이 되는데 어쨌든 우리 ONE에코시스템의 ONE을 만나서 그때부터 저는 공부를 시작했습니다.

그래서 제가 인생에 있어서 수많은 선택을 했는데 제가 지금 나이가 평생에 가장 잘 선택한 것은 ONE이라고 제가 결론을 지금 내리고 있습니다. 그만큼 ONE에 대해서 저는 24시간 동안 생각하고 있고 ONE의 방향성을 보기 위해서 세상의 모든 기사들을 보면서 ONE 밖에 없다는 것을 절실하게 느끼고 있습니다. 내용들을 한번 보시면, 가장 중요한 내용이 뭐냐 하면은 2024년도 상반기에 얼마 안 남았는데 ONE이 출현한다고 저는 믿고 있습니다.
여러분들도 지난번에 강의에 참석하셨던 분들 계실 텐데요. 이제 제가 시간이 가까워 올수록 팩트를 정확하게 점검하고 예측할 수 있지 않을까 생각합니다. 여러분이 어떻게 ONE을 갖고 계시든 ONE의 지갑을 갖고 계시다면 여러분들은 내년 부터는 생각과 모습도 달라질 겁니다. 또 얼굴 표정이 달라지실 겁니다. 정말 환한 표정 여러분들 한번 환한 미소 한번 지어주시기 바랍니다. 자 제가 왼손을 들면 크게 박수를 쳐주세요.

그리고 오른손을 들면 함성과 박수를 같이 쳐주세요. 여러분들 스스로에게 또 옆 사람한테 우리 모두를 위해서 하는 박수를 치는 겁니다. 자 제가 왼손을 들겠습니다. 박수~ 자 오른손을 들겠습니다. 자 오른손 자 옆에 계신 분들한테 이 자리에 정말 잘 오셨습니다. 부자되십시오. 대박나십시오. 여러분들 내 주변 사람들이 행복해야 나도 행복할 수 있습니다. 그래서 이 세상은 나 혼자 행복할 수 있는 세상이 아니에요. 그래서 우리는 다 함께 행복해야 되는데 저는 이제 여기에 올 때 참 이 타이틀이 참 좋아요.

행복 나눔 재테크 포럼에 이 얼마나 멋진 타이틀입니까? ONE의 정신과도 너무나 잘 맞고요. 성공 아카데미입니다. 자 여기서 우리가 비즈니스도 하면서 지금 성공 아카데미를 열면서 여러분들의 생각을 일깨워 주는 거죠. 그래서 여러분들이 세상의 흐름을 놓치지 않고 또 ONE을 만났기 때문에 재테크 포럼과 행복 나눔 성공 아카데미를 이렇게 할 수 있지 않나 생각이 됩니다. 그래서 여러분들 나눠드린 자료 한번 잘 보시면은 우리 ONE 에코 시스템을 한 장으로 정리한 자료입니다. 그래서 2024년 6월 30일 우리 ONE 에코시스템에 ONE이 정식으로 유럽 미카법에 의해서 발행한다는 것을 여러분들 오늘 꼭 머릿속에 기억하시기 바랍니다.

그래서 여기에 우리 ONE 에코시스템은 생태계가 있는데, ONE 을 거의 100프로에 가깝게 원을 가지고 여행을 하실 수가 있어 요. 자 그 다음에 원바타 여러분들 지금 이미 우리 한국에는 많 은 여성분들 또 남성분들도 원비타를 지금 사용하고 있어요. 그 래서 원비타를 바르시면 지금까지 여러분들이 경험하지 못했 던 신물질이 들어갔기 때문에 리포좀 공법이라든가 제올라이트 라는 신물질이 피부가 노화되지 않고 다시 젊은 피부를 얻을 수 있는 원비타 그다음에 원 포렉스 외환거래도 준비가 되어 있는 데요. 여러분들께서는 지금 원 포렉스 하니까 잘 안 와닿을 수 도 있어요.

근데 이건 뭐냐 하면은 외환 거래를 통해서 여러분들이 수익을 얻을 수 있도록 여기에 또 인제 우리 대표님께서 잘 아시기 때문 에 전산을 여러분들한테 분명히 우리 원 에코 시스템의 원 포렉 스를 통해서도 여러분들한테 수익을 발생시켜 주실 수 있다는 거 그다음에 딜쉐이커 오늘도 이제 뭐 건강 헬스 이런 제품들 이 렇게 여러분들한테 강의도 하고, 이렇게 하는 것 같은데요. 자 딜 쉐이커에서는 모든 생필품부터 부동산 자동차 그다음에 모 든 상품이 다 올라옵니다. 그러니까 인간이 살아가면서 필요한 제품들은 딜쉐이커에 다 들어옵니다. 그래서 이 원 에코 시스템 의 ONE을 여러분들께서 지갑을 갖는 순간 세상을 다 가진 거 나 마찬가지예요.

실전 투자 전략

그러니까 여러분들께서 이제 2024년이 되면 아마 여러분들이 내가 가지고 있는 갯수에다가 현재 가치를 이따가 제가 이렇게 시스템으로 한번 좀 확신을 주기 위해서 보여드릴 건데 얼마인가요? 우리 ONE이 42.5유로 정확하게 퍼펙트하게 얘기를 했고 이게 기준이에요. 우리나라 돈으로는 한 6만 130원 그 다음에 달러로는 한 45.25달러 그 다음에 USDT가 인제 달러하고 연동해서 지금 암호화폐로 쓰고 있는 스테이블코인 인데 지금 45.25 USDT 자 우리는 달러하고도 가치가 지금 객관적으로 평가가 되고 있고 그다음에 우리 유로의 42.5 유로이고 그다음에 우리나라의 가치로 약 6만 원입니다.

제가 이틀 전에 영상을 찍었어요. 우리는 앞으로 P2P 할 때 3만 원 이상 팔아야 됩니다. 3만 원 미만으로 팔면 안 돼요. 이게 회사에서 정한 기준이 그런데 내년은 어떻게 됩니까? 내년은 이 가치가 더 올라갈 수가 있습니다. 내년 연말까지 해 가지고 대략적으로 저희가 이제 강사들이 예측하고 있는 그러한 가치가 대략적으로 한 100 유로 정도 됩니다. 우리가 세상에 이제 은행으로 발행할 때 은행과 CBDC와 은행의 예금 토크으로 연결될 시점에는 100 유로로 연결이 된다. 이렇게 지금 우리가 보고 있습니다. 이것은 시스템 설계할 때부터 이렇게 나올 때에는 100 유로로 나오도록 설계가 돼 있습니다.

그래서 우리는 가장 이 세상에서 가장 안정된 디지털 화폐이고 돈이라고 생각합니다. 5000년 동안 가장 확실하게 돈의 자리를 지키고 있는 것은 무엇입니까? 금입니다. 여기 아주 너무 이 아주 대답을 잘해 주시고 있는데, 저분한테도 내가 책 선물 하나 드리겠습니다. 자 그래서 우리가 금이 5000년 역사상 지금 가장 높은 가치를 유지하고 있습니다. 여러분들 금에서 우리는 많은 교훈을 배울 수가 있습니다. 금은 한정된 매장량입니다. 그리고 금은 지금 채굴하는 데 많은 비용이 들어갑니다. 그리고 지금 금에 대해서 은행들이 금을 모으기 시작했고, 개인들도 금에 대해서 관심을 많이 갖습니다. 이유는 무엇인가요?

바로 한정된 자산이라는 거예요. 한정된 자산 여러분들께서 잘 기억하시기 바랍니다. 자 그러면은 한정된 자산은 지구상에서 이게 한정돼 있고 추가로 생산이 어렵고 또 이런 것들은 다 이 어떤 가치가 시간이 지나면 올라갈 수가 있습니다. 여러분 이해되시나요? 금이 그렇다는 거예요. 그러면은 우리 그니까 비트코인은 이제 낯설지 않죠 옛날에는 뭐 사기다 뭐 이렇게 금융권에서도 터부시하고 이렇게 했었는데 어떻습니까? 지금 어제 오늘 14일 15일 뭐를 했습니까? 서울 한복판에서 컨퍼런스를 개최했습니다. IMF 총재가 들어왔고요. 그다음에 우리 기획재정부 금융위원회 한국은행 자 이게 격세지감을 느끼는 거죠.
2017년도에 금융위원회 위원장이 나와서 젊은 사람들이 길을 모르면 어른들이 길을 가르쳐 줘야 된다. 그런데 어른들이 길을 가르쳐 줄 수가 있나요? 어른들이 가르쳐 줄 수가 없죠. 이미 젊은 세대들은 이 시장에 너무나 관심이 있고 또 특히 우리나라 사람들은 암호화폐에 대한 관심이 뜨겁습니다. 이것은 당시에는 아마 상당히 암호화폐라든가 코인하는 사람에 대해서 상당히 이상한 눈으로 봤다면 지금은 이제 그런 사람들이 일자리가 많아지는 거예요.

여러분들 이렇게 지금 세상이 바뀌고 있고 저는 인제 우리 컨퍼런스를 IMF 총재에 들어와서 하는 것을 보면서 우리나라가 지금 암호화폐의 중심에 우뚝 부상하고 그건 왜 그러냐 하면 첫 번째로는 우리나라가 이 암호화폐에 대한 관심이 커요 그래서 이 달러 거래보다 우리나라 돈으로 암호화폐 비트코인 특히 거래하는 이 점유율이 달러를 능가하고 있습니다. 박수 한번 쳐주세요. 이거는 우리나라가 그만큼 이 새로운 시장에 대해서 앞서가고 있다. 이렇게 제가 말씀을 드릴 수가 있어요.

그래서 이제 2023년 지금 12월을 이제 우리가 마무리를 잘 해야되는데 2024년부터는 우리나라가 정말 암호화폐 분야에서 또 금융 분야에서 부각을 나타낼 수 있는 그런 곳이다. 싱가포르도 그렇고 홍콩도 그렇고 미국 뉴욕 그다음에 스위스, 영국 이렇게 금융의 허브 본고장에서 우리 대한민국에 초점이 맞춰져 있습니다. 그래서 BIS하고 BIS는 국제결제은행이에요. IMF는 국제통화기금이에요.
그러면 이게 우리 한국은행 위에 있는 중앙은행의 중앙은행을 우리가 BIS 또 IMF 이렇게 얘기하고 있는데, 이런 기관들이 지금 다 우리 한국을 지원하고 있습니다. 그래서 지금 한국은행에서는 CBDC 여러분들 많이 들어보셨죠 CBDC는 여러분들 믿고 쓸 수 있는 거예요. 왜 한국은행이 디지털 화폐를 발행해서 여러분들 지갑에 들어오게 되면 여러분들은 국가가 발행했으니까. 쉽게 쓸 거예요. 그런데 여러분들은 쓰는 것에만 생각이 멈춰서는 안 돼요. 왜 한국은행이 CBDC를 발행했을까요? 조폐공사에서 앞으로 동전이나 이 지폐를 더 많이 찍을까요? 덜 찍을까요?

여러분들 지폐를 지금 지갑에 갖고 계신데, 나는 지폐를 적극적으로 쓰기 위해서 갖고 다닌다 혹시 몰라서 내가 지폐를 가지고 다닌다. 저는 후자라고 생각합니다. 혹시 몰라서 지폐를 갖고 있지 저도 마찬가지예요. 혹시 몰라서 근데 대부분 우리 기성세대들은 카드를 쓰고 있고요. 그다음에 우리 젊은 사람들은 페이를 쓰고 있습니다. 이거는 이미 디지털화, 전자화가 돼 있는 겁니다. 우리는 CBDC가 안 나와도 불편함이 없어요. 그리고 코인 대해서도 별로 왜 우리는 이미 이런 금융의 혜택을 많이 받고 있는 나라입니다.

그런데 우리나라가 지금 뭐 약 무역 규모라든가 뭐 여러 가지 측면에서 10번째 정도 들어가고 G7에서도 우리를 오라 할 만큼 우리는 이제 선진국 대열에 들어가 있습니다. 그런데 한 200여 개 국가들이 우리처럼 이런 환경에서 페이를 쓰고 카드를 쓸까요? 그렇지 않습니다. 은행이 그렇게 많지 않아요. 그러니까 은행의 혜택을 못 보고 있어요. 그래서 이런 사람들이 모두가 갖고 있는 것은 무엇일까요? 스마트폰입니다. 스마트폰도 우리가 맨 처음에는 전화 걸고 받고 공중전화처럼 집 전화 그전에는 뭐

했어요.

전보였지요. 교환수도 있었고, 여러분들 그런데 우리 스마트폰은 전화를 걸고 받고 하는 것은 극히 보조적인 수단일 뿐이고 이것은 컴퓨터가 여기에 내 손에 들어있는 겁니다. 한국은행에서 모든 우리나라 상업은행들을 다 관리할 수 있는 서버보다 100배가 성능이 좋은 서버를 우리 여러분들께서 손 안에 쥐고 있습니다. 그럼 여기에 내가 지갑이 있다면 은행이 될 수 있을까요? 그러면 아프리카라든가 우리 동남아시아에 많은 금융 혜택을 받고 있지 않는 그런 국가들 조차도 스마트폰에 이제 지갑이 들어가게 되면은 경제활동이 빨라집니다.

아프리카라든가 이런 데는 내가 무엇을 생산해서 뭘 팔아도 금융의 혜택이 없고 대출이라든가 우리처럼 이렇게 경제가 발전할 수 있는 그런 구조가 안 됩니다. 하지만 선진국들은 이미 성장을 멈춰가고 있습니다. 그러면 세상이 안정과 성장을 추구하거든요. 그러면은 지금까지 선진국이 경제를 안정화시켰다면 앞으로는 개발도상국의 신흥국가들이 안정된 경제를 성장을 시켜야 됩니다. 이 성장을 시키는 기초가 뭐냐 바로 돈에 대한 이 기술이 금융이 디지털화를 해야 됩니다. 다른 분야에서는 디지털화가 됐는데 금융분야에서는 디지털화가 안 됐어요. 바로 은행이고 그래서 은행은 지금 발등에 불이 떨어졌고요.

이제는 또 지금 국민은행에서 전화받는 콜센터 200여 명이 구조

조정이 됐어요. 난리가 났죠. 그럼 무엇이 대체했습니까? 바로 AI로 대체했어요. AI가 앞으로 우리 사람의 일자리를 뭐 공격한다고 하면은 좀 표현이 그런가요? 우리 일자리들을 많이 뺏어갈 겁니다. 그런데 이것은 우리가 그렇게 두려워할 것은 아니에요. AI가 금융 분야에서도 AI가 접근해 들어올 겁니다. 그래서 여러분들 디파이라는 금융을 여러분들이 들어보셨을 텐데요. 디파이 금융 들어보셨어요.

여러분들이 은행은 많이 들어보셨죠 여러분들 은행은 CeFi에 가까워요 은행을 거쳐서 거래할 수 있어요. 은행에 모든 자료가 서버가 있다는 거예요. 이것은 해킹에 취약하고 속도도 느리고 해외 송금도 아주 취약해요. 그리고 비용도 아주 비쌉니다. 그런데 ONE 특히 지금 2024년 초에 나올 ONE 그리고 지금까지 스테이블 코인이라고 지금 쓰고 있는 그러니까 어떻게 보면은 ONE이 나오기 전에 진짜가 나오기 전에 모든 세상의 암호화폐 테스트가 끝났다, 14년 동안 했습니다. 그런데 마지막으로, 테스트하고 있는 게 바로 CBDC입니다. CBDC는 안 나와도 돼요. 근데 왜 나올까요? 이것이 바로 국가의 통화 주권 때문에 나오는 것입니다.

그러니까 결과적으로 이게 우리나라 같은 데는 무용지물이에요. 지금 가장 잘 쓰고 있는 나라가 중국입니다. 중국은 카드를 안 썼습니다. 카드를 안 쓰고 거기는 알리페이 위쳇페이 요런 걸 썼어요. 근데 그거를 국가가 DCEP라고 그러죠 전자화폐를 쓰는 거예요. 똑같은 개념으로 알리페이랑 위쳇페이 우리가 쓰고 있는 네이버페이 삼성페이 카카오페이 그런 개념으로 쓰고 있는 거예요. 그러니까 그마만큼 CBDC도 일정한 과정이라고 보시면, 돼요. 자 그래서 우리 원이 나올 수 있는 지금 모든 테스트가 끝나가고 있다. 제가 이렇게 말씀을 드리는 거예요. 그래서 이제 우리 ONE의 출현 시기가 다가오고 있다.

여러분들 오늘 우리 대표님께서 저한테 부탁하셨는데 우리 원에 대한 가치를 정확히 좀 알려주세요. 이렇게 하는데 여러분들이 가지고 있는 원의 가치를 얼마 정도 생각하고 있어요. 여러분들 한 내가 지금 내가 믿고 있는 ONE의 가치는 한 만 원 정도 된다. 한번 손 들어보세요. 그러면 예를 들어서, 이 가치는 지금 6만 원 정도의 가치를 내가 딜쉐이커에서 물건을 사보니까, 체험을 해보니까. 한 6만 원 정도의 가치는 있겠다. 손들어 보세요. 그런 생각을 가지고 있는 6만 원의 가치는 경험을 해 보신분들일 거예요.

체험 그런데 제가 오늘 보여주려고 하는 것은 여러분들 일단은 최신 기사를 먼저 보고 여러분들 최신 기사 최근에 무슨 상황이 지금 벌어지고 있는지 세상 돌아가는 걸 좀 봐야죠 그래서 과거의 내용은 이제 제가 잘 말을 안 해요.
혹시 여기 보시면, 최근 기사 내용입니다. 제가 암호화폐를 하면서 가장 주시하고 있는 건 바로 미국입니다. 암호화폐 회계처리라는 것은 중요한 겁니다. 이것은 세금과 직결되는 겁니다. 이게 가장 중요한데 사람들이 이걸 지금 아직 인식을 안 하고 있어요. 공정가치 방식으로 확정을 했습니다. 그동안에는 기업이 비트코인이나 암호화폐를 가졌을 때 좀 불리한 회계처리가 있었어요. 그래서 기업이 이것을 안 가졌어요. 그리고 원도 법인이 지금 진입을 못 하고 있어요. 그런데 앞으로 ONE에 법인이 들어올 겁니다.

여러분들 법인이 들어오는 것은 개인들이 하는 것과는 다릅니다. 비트코인 회계자산 채택은 회계자산에서 기업이 비트코인을 담았더라도 공정가치라는 건 무엇입니까? 우리가 시장의 가격을 얘기하는 겁니다. 예를 들어서, 전에 같은 경우에는 예를 들어서, 1000만 원의 가치를 갖고 있었는데, 가치가 떨어지면 회계 장부에 500만 원으로 떨어졌으면 500만 원을 기장을 해야 돼요. 자 근데 올라가면 처분을 해서 양도차익을 기장을 해야 돼요. 그러면 보유할 수가 없는 거예요. 기준에서 어떤 기준으로 바꾸냐 자 회사가 기업이에요. 회사가 암호화폐 자산을 가지고 있어요. 1000만 원에 가지고 있어요.

가치가 떨어지면은 떨어진 대로 장부를 기재하고 오르면 모르는 대로 장부를 기재하는 거예요. 이게 공정가치입니다. 그러면은 암호화폐를 테슬라라든가 앞으로 이런 거대 기업들이 암호화폐를 보유해도 된다는 기준에 회계자산 채택기준이 들어온 겁니다. 비트코인 외에 모든 것들이 다 그다음에 확대 기대감 우리나라 회계기준원 발표도 같은 날입니다. 14일 날 한국채택 국제회계기준 이게 회계기준위원회라고 있더라고요. 우리나라에 저도 처음 정보를 본 겁니다. 이게 아마 회계사들 협회 조직

실전 투자 전략

같고요. 일반기업회계기준 개정을 하는 겁니다. 암호화폐를 회계장부에 기장을 할 수 있게끔 지금 회계기준으로 바꾼 겁니다.

여러분들 이거 놀라운 사실 아십니까? 우리는 지금 암호화폐에 대해서 잘 몰랐어요. 이렇게 빨리 속도가 빠른지 거의 미국하고 우리나라 같이 가고 있어요. 같은 날짜에 발표한 기사를 제가 발췌했어요. 지금 제가 우리나라에 많은 전문가들이 있고 강사들도 있고 하지만 아무도 언급을 안 하고 있어요. 그런데 제가 오늘 여기에서 처음 발표한 겁니다. 여러분들 정말 센스가 있어요. 비즈니스에서 대박 나실 수밖에 없습니다. 그 다음에 짐 로저스는 우리 홍콩에서 딜쉐이커 엑스포에 케스트 연사로 오셨던 분입니다. 3대 투자자라고 얘기했죠. 유대인 가정에서 자랐다고 4200프로 수익을 얻은 1970년도에 대단한 분입니다.

그러니까 전설적인 투자자라고 보시면, 돼요. 이 사람은 정말 대단한 분이에요. 이분 짐로저스는 주식 채권 부동산 모두 거품 내년엔 이곳에 투자하라 이분은 비트코인 암호화폐는 투자하지 않습니다. 이건 정확하게 이분이 발표하신 거예요. 나는 이분의 생각이 맞다고도 생각을 합니다. 그런데 이분이 말씀하신 게 있습니다. 마지막 기사 결론 부분에 맨 마지막에 가장 중요한 단어가 딱 제 눈에 들어왔어요.

거래 수단으로서 암호화폐 외에는 실질적인 가치가 없다고 하였습니다. 우리가 지금 원에코 시스템에서 가장 중요한 것이 딜쉐이커입니다. 우리가 딜쉐이커에서 50프로 ONE으로 구매할 수 있습니다. 이것이 바로 거래수단이에요. ONE은 거래수단 물품을 살 수 있어야 돼요. 우리가 화폐 역사에서 처음에는 우리가 물물교환을 했어요. 물물교환 자체가 화폐로 사용하고 불편해요. 안 불편해요. 정밀하게 교환할 수 없습니다.

예로 소 한 마리하고 돼지 몇 마리라고 바꿔야 합니까? 이렇게 물물교환으로 했었는데 그래서 좀 변하지 않는 조개껍데기가 돈이 되었었고 그후 발전해서 동전으로도 하고, 지폐도 나오고 이제는 카드로도 쓰고 페이로도 쓰고 여기까지 왔어요. 마지막 단계 암호화폐가 들어왔습니다. 인터넷이 나와 가지고. 블록체인 기술에 의한 우리가 쉽게 얘기하면은 복제가 안 돼요. 우리 돈은 제 지갑에서 만약에 1000개의 원을 가지고 있는데, 우리 대표님 한테 제가 크리스마스 선물로 ONE 5개를 드렸어요. 그러면 제 전자지갑에서 5개가 마이너스가 되고 대표님 지갑은 플러스 5개가 됩니다.

중간에 은행이 없어요. 이것이 바로 P2P입니다. 이것이 진정한 화폐의 지급, 결제, 송금의 완벽한 기능입니다. 지금 우리가 현재 금융에서 쓰이고 있는 외환거래는 6단계에 걸친 최소 10프로 정도의 수수료를 물고 그것도 하루 만에 가는 게 아니에요. 하지만 스테이블 코인들이 보여주고 있는데요. USD 달러로 외환을 거래하면 시간이 많이 걸리고 비용도 비쌉니다. USDT로 대신에 결제를 하면은 1분 안에 가요. 전 세계가 그것을 우리 젊은 사람들은 그걸 쓰고 있습니다. 여러분이 안 쓸 뿐이죠. 우리가 그거보다 더 신뢰성이 높고 정확하고 해킹이 안 되고 진정한 돈 ONE을 여러분들이 내년 부터는 본격적으로 쓰게 될 겁니다.

다른 곳 강의장에서는, 좋아서 난리가 납니다. 왜냐하면 그분들이 ONE을 너무 많이 가지고 있습니다. 충남 보령, 창원, 현대 자동차 지방은 일억~2억 투자하신 분들이 많으십니다. 제가 이게 1차로 뭐 숫자를 말씀드려도 될런지 모르겠는데 되나요? 1차로 뭐 110만 개 2차로 50만 개를 여러분들 한테 행복 나눔으로 한다고 해서 저는 야 여기에 계신 분들은 정말 행복하신 분들이다. 복 받으신 거예요. 이게 사실은 알기도 어렵고요. 또 제 강의를 듣는다고 해서 ONE을 산다는 보장도 없어요. 그런데 여러분들은 여기서 같이 비즈니스 하면서 가족적인 공동체인 것 같아서 정말 훈훈한 정을 느끼게 됩니다.
어쨌든 저는 우리 회장님과 대표님을 천안에서 만났는데 두 분은 남다르다 느꼈습니다. 부부가 같이 사업을 한다는 것도 어렵고 또 ONE을 부부가 같이 하는 사람이 드물어요. 또 음성에서 팬이 오셨어요. 손 들어보세요. 우리 대표님과 함께 사모님하고 오셨습니다. 저한테 농사지은 인삼 농사를 10만평 경작하시는데 인삼 상품을 저한테 보내주셨어요. 정말 대단하신 분인데요. ONE에 대해서 확신도 갖고 있고 ONE에 대해서 저보다 훨씬 많은 투자도 하셨습니다.. 사업을 하시니까 제가 ONE에 대해서 아까 미친사람 이라고 회장님 말씀하셨는데, 제가 사실 ONE에 미쳤어요. 언제부터 미쳤냐 한 1년 전부터 미친 거예요. 미친 사람은 절대 못 이깁니다.

좋아하는 사람보다는 미친 사람한테는 못따라 갑니다. 여러분들 우리 ONE에 대해서 거래 수단에 대해서 여러분들께서 잘 기억하세요. 코인은 돈이 될 수가 없어요. 여러분들 ONE과 코인을 비교하시면 안 돼요. 절대 비교 자체가 안 돼요. 그러니까 만약에 비교를 한다면, 금과 고철하고 비교하는 거예요. 이거 아시겠습니까? 비트코인은 정말 훌륭합니다. 저는 비트코인의 정신과 비트코인의 사상 비트코인이 이 세상에 보여준 철학은 정말 이 세상의 모든 사람들이 깨달아야 돼요. 블록체인 기술을 가지고 이 모든 세상의 시스템을 다 바꿔야 됩니다. 이것이 바로 가장 정확하고 해킹이 없고 가장 안정성을 가진 그런 시스템이 되는 겁니다.

그것을 보여주기 위해서 비트코인이 세상에 나온 거예요. 그런데 기술이 좀 부족해요. 기술을 보완한 기술이 이더리움인데 비트코인과 이더리움과 ONE은 그야말로 한 형제라고 할 수 있는 거죠. 거의 어떤 이 발명자가 비트코인과 원과 이더리움 한 50년 대학적으로 제가 봤을 때는 그전부터 연구가 돼 있을 수 있어요. 근데 본격적으로 연구가 되기 시작한 것은 1960년대 말부터예요. 예 그래서 이런 부분에 이 결정체로 나온 게 피와 눈물과 땀의 이 암호학자들이 개인의 프라이버시를 지키기 위해서 인터넷에서 발명하는 것이 바로 암호화폐고 기술을 실현시켜준 게 블록체 기술이에요.

실전 투자 전략

최근 한국, IMF하고 국제 컨퍼런스 개최하였습니다. 제목이 디지털 화폐입니다. 예전에는 금융위원회에서도 비트코인은 우리하고 상관없어 서로 부처가 떠넘기고 그랬었어요. 이제는 IMF하고 한국 기획재정부, 금융위원회, 한국은행 같이 국제 컨퍼런스 했다는 것은 금융분야입니다. 핀테크입니다. 금융과 기술이 만난 거예요. 그래서 금융과 기술이 만나 가지고 현재 금융을 디지털화 아날로그에서 디지털화로 혁신시키고 혁명을 일으키는 거예요.

그래서 지금 경기도 안 좋고 2024년 디플레이션으로 경기 침체할 가능성이 높은 상황으로 전개되고 있습니다. 전문가들은 침체가능성을 60프로 그래도 할 만하다 40프로예요. 물가도 높은데 경기도 침체하는 스테그 플레이션의 최악의 경우도 대비해야 합니다. 우리가 코로나 왔죠 지금은 앤데믹인데 2025년에 더 센 코로나가 올수도 있다는 예측도 나오고 있습니다. 여러분들 제가 겁주려고 하는 건 아니에요. 코로나도 예견된 빌케이츠가 예견을 한것입니다.

2024년도에 우리가 코로나는 끝났지만 코로나 아직도 끝난 것이라고 절대 방심하시면 안됩니다. 지금 전쟁하고 있죠. 중동 전쟁과 우.러 전쟁도 우연의 일치 아니에요. 이거 바로 그레이트 리셋하기 위한 세상에 큰 변화가 올 그런 조짐이라고 볼 수 있습니다. 아리헨티나 대통령인데 은행 자기네 나라 돈이 140프로 물가 상승률로 달러를 쓰고 자기네 나라 돈을 포기하는 겁니다. 중앙은행을 폭파시키겠다. 이거 상당히 이 과격한 발언이죠. BIS 사무총장과 CBDC 본격적으로 한국에서 파일럿 테스트를 지금 하고 있습니다.

기관용을 지금 테스트 하는데 내년 말에는 일반인 10만 명 정도 가 CBDC를 쓰게 될 겁니다. 앞으로 종이돈을 거의 쓰지 않을 겁니다. 쓸 수가 없을 겁니다. 그다음에 거래소 상장 폐지 작년 에 코인들 3000여 개, 2023년 10월말 기준 3400개 상장폐지 되 었습니다. 코인하고 계신 분들은 조심하셔야 합니다. 정리를 해 야 될 것 같습니다. 미국에 94년 역사n 은행들이 5번째로, 은행 이 파산을 했어요. 코인 안 산다던 국민연금은 코인베이스 주식 에 투자를 했습니다. 코인베이스 미국의 가장 큰 암호화폐 거래 소가 코인베이스입니다.
코인베이스는 나스닥 상장되어 있습니다. 여기에 우리 국민을 국민연금은 공공기업입니다.우리 2017년도에 암호화폐 하면 큰 일 났잖아요. 박상기 법무장문관도 난리치고 지식인들이 나와 서 제로를 수렴한다고 했는데, 국민연금은투자를 했어요. 그래 갖고 40프로 이상의 투자 근데 전문가들은 뭐냐면 더 투자를 하 라는 거예요. 세상은 이런 겁니다. 한국인 한쪽에서는 사기라고 하고 한쪽에서는 투자하고 있는 겁니다. 그런데 그것도 국가기 관이 한 거예요. 국민이 국민들이 이런 것들을 여러분들이 보셔 야 돼요. 우리 여기 원에코 시스템에 대해서 말씀을 드렸고요.

제가 이제 CBDC 스테이블 코인 비트코인 그래서 원에코 시스템 해서 원아카데미,원보야지,원비타 원 포렉스, 딜쉐이커, 원채리티 ONE을 중심으로 생태계를 만든다. 우리가 2023년 2월 18일 폴리곤으로 퍼블릭으로 전환했습니다. 이것이 역사적인 일입니다.

그런데 원 에코 시스템에 대해서 가장 잘 알아야 되는데 여러분들께서 시스템을 좀 이렇게 보시면, 잘 알 수 있을 겁니다. 우리 원에코 시스템에 대해서 구글에서 구글에 가서 폴리곤 OES 스를 치면 내용들이 나오는데요. 최대 공급량이 2500억 개예요. 금이 한정돼 있기 때문에 가치가 올라간다고 얘기했는데요. ONE도 2500억 개였던 건 아니에요. 21억 개였다가 또 1200억 개였다가 2500억 개로 확장된 겁니다.

그다음에 우리가 폴리곤 배포라고 하는데 95만 개 그래서 지금 9월 말까지 1단계가 끝났고 2단계가 2024년 3월 말 폴리본 배포가 끝나는데 여기는 아마 다 하신 걸로 알고 있는데, 폴리곤 배포를 안하고 폴리곤 전환을 안 하시는 분들은 내년부터는 가지고 있는 원 코인 못 씁니다. 움직이질 못해요. 아무짝에도 못써요. 그래서 이거는 반드시 해야 된다는 거 말씀드리고 우리나라 개코터미널, 코인마켓캡 ONE이 6만원인가 객관적인 데이터를 보여드리겠습니다.

자 여기에 이렇게 보시면, 제가 홀리곤 오이에스라고 이렇게 친 겁니다. 여러분 보이시나요? 네 폴리곤OES 그래서 여기에 보면은 첫 번째로, 폴리곤 스캔이 나오고 두 번째로, 개코터미널 세 번째로, 코인마켓캡 이렇게 나옵니다. 그 다음에 덱스크리너 이것은 우리 회사가 만든 거예요. 구글에서 모든 정보를 띄워주는 거예요. 구글에서 우리 회사와 우리 원에코시스템이 구글하고 짠게 아니예요. 객관적인 ONE의 가치를 보여주고 싶었어요. 시스템에서 보여주니까 안 믿어 우리 시스템은 뭐냐 요게 우리 원에코시스템입니다.6개 프로젝트가 있고 가운데 우리 원의 중심 프로젝트가 있습니다.

2024년은 암호화폐 시장에 즐거운 계절이라는 분석을 내놓았습니다.
코인데스크는 2023년이 마감되면서 암호화폐 시장은 실패한 벤처들과 사기 사건들을 넘어섰다고 분석했습니다. 이제는 주류 채택으로의 진전을 보이며 새로운 국면에 접어들고 있습니다. 세계적인 긴장 상태가 고조되고 지역 은행들이 흔들리는 가운데, 비트코인은 다시금 신뢰할 수 있는 가치 저장 수단으로 인식되고 있다는 것입니다. 전통 금융 대기업들이 비트코인 현물 ETF를 신청하고 실제 자산을 토큰화 하는 움직임은 두 세계의 융합을 상징하는 것입니다.

비트코인이 15년을 맞이하며, 2024년은 그 진화에서 중요한 해가 될 것으로 예상이 됩니다. 비트코인의 글로벌 유동성 조건의 개선과 연준의 정책 변화에 힘입어 상승세를 유지할 것입니다. 비트코인의 상승과 전통금융과의 융합은 암호화폐가 더 넓은 금융 풍경에 통합되는 결정적인 순간을 의미하는 것입니다. 비트코인 ETF에 미국 자산 관리회사들이 소액만 상당해도 상당한 규모로 성장할 수 있습니다. 동시에 탈중앙금융 프로토콜들은 미국 국채와 같은 실제 자산으로하는 수익원을 다양화하며, 더 많은 자본을 끌어들이고 있습니다. 블록체인의 확장성 개선과 개발의 주요 업그레이드는 웹투에서 Web3로의 전환에 있어 장벽을 깨고 있습니다.Web3 기반 앱들이 웹투에서와 같은 사용의 편리함을 제공하고, 자기 주권의 장점을 결합한다면 사용자들의 이동은 불가피합니다.

이러한 상황에서, 지난 사이클의 승자들이 이번에는 선두를 달리지 못할 수도 있습니다. 성공적인 프로젝트들은 개발자와 사용자의 견고한 커뮤니티를 자랑하는 경우가 많으며, 디파이 2.0과 Web3 게임과 같은 흥미로운 주제들이 부상하고 있습니다. 내용을 쉽게 컨트리보드 김일석 후보가 정리해 드리겠습니다. 비트코인과 암호화폐의 미래가 새로운 국면을 맞이하고 있습니다. 디파이와 Web3 채택 전망에 따른 비트코인의 주류 도약에 관한 코인데스크 2024 전망이 발표되었습니다. 오늘 발표된 2024년 암호화폐 시장 전망에 따르면, 특히 비트코인이 디파이, 즉 분산 금융 시장과 Web3, 차세대 인터넷 기반 서비스의 통합을 통해 큰 변화를 맞이할 것으로 예측하고 있습니다. 보고서는 구체적으로 비트코인의 새로운 사용 사례와 가능성을 언급하면서, 이를 통해 전통적 금융시장에서의 수용률이 크게 상승할 것이라고 분석했습니다.

디파이는 기존 금융 시스템과 독립적으로 예금, 대출, 투자 등의 금융 서비스를 제공하는 생태계이며, Web3는 사용자의 데이터 주권 강화와 탈중앙화가 핵심 목표입니다.

이러한 기술과 트렌드가 결합해 비트코인과 암호화폐가 보다 널리 채택되고 연동될 것으로 기대되고 있으며, 이것이 전통 금융시장과의 통합에 큰 역할을 할 것이라고 보고서는 전망하고 있습니다. 비트코인의 주요 동향과 이들이 금융 시장에 미치는 영향에 대해 더 자세히 알아보기 위해선, 우리는 먼저 이들 각 기술의 기본 원리를 이해하고, 이번 전망이 암호화폐 시장에 어떤 실질적인 변화를 가져올지 주목해야 합니다. 특히 이러한 변화가 기존 금융시장에 어떤 영향을 미칠지, 그리고 개별 투자자들의 전략에 어떤 변화가 필요할지에 대해 깊이 있게 고찰할 필요가 있습니다. 우리는 더 나은 이해를 위해 지속적으로 분석과 전망을 공유할 것입니다.

결론적으로 말씀드리면 전통금융과 탈중앙화 금융이 융합단계로 진화하고 있으며, 씨파이 금융과 디파이 금융의 원이 전통금융과 디파이 금융의 원활한 융합을 위해 크게 기여할 것으로기대하고 있습니다. 따라서 원에코시스템 프로젝트는 2024년 3월까지 모든 셋팅을 마치고 3월 23일 말레이지아 세계대회를 통하여 출범준비에 대한 중대한 발표를 할것으로 기대를 하고 있습니다. 글로벌 쇼핑몰과 200개 국가에서 사용할 수 있는 암호화폐 인프라를 준비해온 원은 유일한 거래수단으로 규제와 시장에서 선택을 받을것으로 전망하고 있습니다. 100% 확신을 가지고 2024년 큰 꿈을 실현 할 수 있도록 원대한 플랜을 준비하는 시간을 가지시기 바랍니다. 구독과 좋아요 알림설정 광고시청 가장 중요한 컨트리보드 김일석 후보에게 투표부탁드립니다. 꼭 세사람에게 알리고 함께 투표해 주시기를 당부드립니다.
끝까지 시청해 주신 모든 분들께 진심으로 감사드립니다.

2024년 ONE 대전망을 기사와 뉴스레터 중심강의
1월 : 비트코인 현물 ETF 최종승인 데드라인 / 컨트리보드 선출
3월 : 연준(FED) 첫 "금리인하" 가능성 / 원네코시스템 세계대회 개최(3월23일~24일)
4월 : 비트코인 반감기 / 원에코시스템 프로젝트 오픈기대 / ONE 외부지갑 연동기대
6월 : 유럽 세계 첫 가상자산법 "미카(MiCA)" 시행 -> ONE 법화 출범 전망
7월 : 가상자산 기본법 시행
8월 : X(트위터) 크립토 결제 구현 가능성
11월 : 미국 대선
12월 : 비트코인 미국 재무회계기준위원회(FASB) 공정가치 회계 적용

마무리하며

오늘 우리는 2024년 ONE 대전망에 대해 논의할 특별한 소식을 가지고 왔습니다. 이 시점에서 암호화폐 시장은 중대한 변곡점을 맞이하고 있습니다. 컨트리보드 김일석 후보 연결하겠습니다.

존경하는 시청자 여러분, 저희는 이번 강의에서 암호화폐 시장을 둘러싼 다양한 사건들이 어떻게 전개될 지를 자세히 분석하고, 특히 원에코시스템이 어떤 역할을 할 것인지 예측할 것입니다. 비트코인의 현물 ETF 승인 가능성, 연준의 금리 조정, 그리고 원에코시스템의 세계대회와 새로운 프로젝트 발표 등 주목해야 할 여러 중요한 이벤트들을 다룰 예정입니다. 또한, 올해 엄청 큰 속보입니다. 암호화폐 시장과 관련한 2024년 ONE 대전망을 상세히 전달하겠습니다. 주요 이슈와 변화를 살펴보며, 이러한 움직임이 투자자 및 시장 전반에 미칠 영향을 분석합니다.
2024년 암호화폐 시장의 중요한 순간들을 조명하는 이번 강의에서, 비트코인 반감기 이후의 시장 전망, 원에코시스템의 외부 지갑 연동 가능성 등을 자세히 살펴보고, 특히 '미카'와 같은 가상자산법의 통과가 시장에 어떠한 변화를 가져올지 예측해 보려고 합니다. 또한, 미국 대선과 이와 관련된 비트코인의 회계 처리 방식 변화 등 빠른 변화를 보일것입니다. 오늘 우리는 2024년 ONE 대전망에 대해 논의할 특별한 소식을 가지고 왔습니다. 이 시점에서 암호화폐 시장은 중대한 변곡점을 맞이하고 있습니다.

2024년 암호화폐 시장은 뜨거운 한해가 될것으로 전망하고 있습니다. 디지털 대전환 시기에 새로운 역사에 주인공 ONE이 출현하는 역사상 가장 위대한 ONE이 출범할 것으로 전망합니다. 큰 기대를 하셔도 좋습니다.

디지털 자산 시대가 온다 저자는 디지털 자산의 개념과 종류, 가치, 미래 전망 등을 다룬다.

저자는 디지털 자산을 "중앙화된 관리 없이 분산된 네트워크를 통해 소유권과 거래가 이루어지는 자산"으로 정의한다. 디지털 자산은 크게 토큰과 NFT로 나눌 수 있다. 토큰은 블록체인 기술을 기반으로 발행되는 가상화폐를 의미하고, NFT는 블록체인 기술을 기반으로 발행되는 희소성을 가진 디지털 자산을 의미한다.

저자는 디지털 자산이 기존의 자산과는 다른 특징을 가지고 있습니다.. 첫째, 디지털 자산은 분산된 네트워크를 기반으로 하기 때문에 중앙 관리기관의 통제를 받지 않습니다. 둘째, 디지털 자산은 복제하기 어렵기 때문에 희소성이 있다. 셋째, 디지털 자산은 전 세계 어디서나 거래할 수 있다.

저자는 디지털 자산이 미래 경제의 중심이 될 것이라고 전망하고 있습니다. 디지털 자산은 기존의 자산과는 다른 특징을 가지고 있기 때문에, 새로운 경제 시스템을 구축할 수 있는 잠재력을 가지고 있다. 또한, 디지털 자산은 전 세계 어디서나 거래할 수 있기 때문에, 글로벌 경제를 활성화할 수 있는 역할을 할 수 있다.

이 책은 디지털 자산에 대한 이해를 돕기 위한 입문서로서, 디지털 자산에 관심이 있는 독자들에게 도움이 될 수 있다.

주요 내용

- 디지털 자산의 개념과 종류
- 디지털 자산의 가치
- 디지털 자산의 미래 전망

디지털 자산의 개념과 종류

디지털 자산은 중앙화된 관리 없이 분산된 네트워크를 통해 소유권과 거래가 이루어지는 자산을 의미한다. 디지털 자산은 크게 토큰과 NFT로 나눌 수 있다.

토큰은 블록체인 기술을 기반으로 발행되는 가상화폐를 의미한다. 토큰은 크게 유틸리티 토큰과 스테이블 코인으로 나눌 수 있다.

- **유틸리티 토큰: 특정 플랫폼이나 서비스에서 사용되는 토큰을 의미한다.**
- **스테이블 코인: 법정화폐와 가치가 연동된 토큰을 의미한다.**

NFT는 블록체인 기술을 기반으로 발행되는 희소성을 가진 디지털 자산을 의미한다. NFT는 예술 작품, 음악, 게임 아이템, 부동산 등 다양한 형태로 발행될 수 있다.

디지털 자산의 가치

디지털 자산은 기존의 자산과는 다른 특징을 가지고 있기 때문에, 새로운 가치를 창출할 수 있다.

- **분산성: 중앙 관리기관의 통제를 받지 않기 때문에, 정치적, 경제적 리스크로부터 자유롭다.**
- **희소성: 복제하기 어렵기 때문에, 희소성이 높다.**
- **글로벌성: 전 세계 어디서나 거래할 수 있다.**

디지털 자산의 미래 전망

디지털 자산은 미래 경제의 중심이 될 가능성이 높다. 디지털 자산은 기존의 자산과는 다른 특징을 가지고 있기 때문에, 새로운 경제 시스템을 구축할 수 있는 잠재력을 가지고 있다. 또한, 디지털 자산은 전 세계 어디서나 거래할 수 있기 때문에, 글로벌 경제를 활성화할 수 있는 역할을 할 수 있다.

결론적으로 디지털 자산은 아직 초기 단계에 있지만, 빠르게 성장하고 있는 분야이다. 디지털 자산에 대한 이해를 바탕으로, 미래 경제의 변화에 대비할 수 있기를 바란다.

디지털 화폐의 개념과 역사, 종류, 투자 전략 등을 다룬다.
저자는 디지털 화폐를 "중앙은행이나 정부의 통제를 받지 않고, 블록체인 기술을 통해 발행되고 유통되는 화폐"로 정의한다. 디지털 화폐는 크게 가상화폐와 CBDC로 나눌 수 있다.

가상화폐

가상화폐는 비트코인을 시작으로 다양한 종류가 발행되고 있다. 가상화폐는 기존 화폐와는 다른 특징을 가지고 있다.

- **분산성: 중앙화된 관리기관이 없기 때문에, 누구나 참여할 수 있다.**
- **투명성: 모든 거래 내역이 블록체인에 기록되기 때문에, 투명하다.**
- **효율성: 전 세계 어디서나 빠르고 저렴하게 송금할 수 있다.**

CBDC

CBDC는 중앙은행이 발행하는 디지털 화폐를 의미한다. CBDC는 기존 화폐와 같은 법적 지위를 가지고 있다.

디지털화폐의 역사

디지털 화폐의 역사는 1980년대부터 시작되었다. 1983년 미국에서 "하이퍼카드"라는 디지털 화폐가 개발되었고, 1990년대에는 "디지털 캐시"와 "디지털 현금" 등이 등장했다.
2008년에는 비트코인이 등장하면서 디지털 화폐에 대한 관심이 높아졌다. 비트코인은 블록체인 기술을 기반으로 한 최초의 가상화폐이다.

디지털화폐의 종류

디지털 화폐는 크게 가상화폐와 CBDC로 나눌 수 있다. 가상화폐는 다시 비트코인, 이더리움, 리플 등 다양한 종류로 나눌 수 있다.

마무리하며

디지털화폐의 투자 전략

디지털 화폐는 아직 초기 단계에 있기 때문에, 투자에 주의가 필요하다. 디지털 화폐 투자 시에는 다음과 같은 사항을 고려해야 한다.

- 기술적 분석: 기술적 분석을 통해 디지털 화폐의 가격 추이를 예측할 수 있다.
- 기본적 분석: 디지털 화폐의 프로젝트나 개발 현황 등을 분석하여 투자 여부를 결정할 수 있다.
- 위험 관리: 디지털 화폐는 가격 변동성이 크므로, 위험 관리에 유의해야 한다.

결론

디지털 화폐는 기존 화폐와는 다른 특징을 가지고 있기 때문에, 새로운 경제 시스템을 구축할 수 있는 잠재력을 가지고 있다. 디지털 화폐의 미래는 불확실하지만, 그 영향력은 점점 커질 것으로 전망된다.

주요 내용

- 디지털 화폐의 개념과 역사
- 디지털 화폐의 종류
- 디지털 화폐의 투자 전략

추가 내용

디지털 화폐는 아직 초기 단계에 있지만, 빠르게 성장하고 있는 분야이다. 디지털 화폐의 미래를 예측하기는 어렵지만, 그 영향력은 점점 커질 것으로 전망된다.

디지털 화폐가 미래 경제의 중심이 되기 위해서는 다음과 같은 과제들을 해결해야 한다.

- **안정성 확보**: 디지털 화폐의 가격 변동성을 줄이기 위한 노력이 필요하다.
- **규제 마련**: 디지털 화폐의 이용과 발행을 위한 규제가 마련되어야 한다.
- **인프라 구축**: 디지털 화폐를 이용하기 위한 인프라를 구축해야 한다.

디지털 화폐의 미래를 위해서는 정부, 기업, 개인 모두의 노력이 필요하다.

10년 후 100배 오를 암호화폐에 투자한다는 것은 매우 큰 수익을 기대하는 투자입니다. 암호화폐의 역사를 보면, 비트코인은 2009년 1달러에서 2023년 12월 현재 45,000달러로 약 45,000배 상승했습니다. 이처럼 암호화폐는 초고속으로 상승할 수 있는 잠재력을 가지고 있습니다.

그러나 암호화폐는 가격 변동성이 매우 큰 자산이라는 점을 유의해야 합니다. 비트코인은 2017년에는 2만 달러까지 상승했지만, 2018년에는 3,000달러까지 하락하기도 했습니다. 따라서 10년 후 100배 오를 암호화폐에 투자하기 위해서는 다음과 같은 사항을 고려해야 합니다.

- **투자 기간**: 암호화폐는 장기 투자를 통해 수익을 얻을 수 있는 자산입니다. 10년 후 100배 오를 암호화폐에 투자하기 위해서는 최소 5년 이상의 투자 기간을 고려해야 합니다.

- **투자 금액**:암호화폐는 가격 변동성이 크므로, 투자 금액을 적절히 조절해야 합니다. 전체 투자 자산의 5%~10% 정도를 암호화폐에 투자하는 것이 안전한 투자 방법입니다.
- **투자 대상**:10년 후 100배 오를 암호화폐를 고르기 위해서는 기본적 분석과 기술적 분석을 모두 고려해야 합니다. 기본적 분석을 통해 프로젝트의 가치와 성장 가능성을 평가하고, 기술적 분석을 통해 가격 추이를 예측하는 것이 도움이 됩니다.

10년 후 100배 오를 암호화폐에 투자하기 위한 몇 가지 후보를 제시하면 다음과 같습니다.

- **비트코인**:암호화폐의 대장주인 비트코인은 여전히 가장 유망한 암호화폐 중 하나입니다. 비트코인은 희소성이 높고, 탈중앙화된 네트워크를 기반으로 하기 때문에 장기적으로 가치가 상승할 가능성이 높습니다.
- **이더리움**:이더리움은 스마트 계약 플랫폼으로, 다양한 암호화폐와 디파이(DeFi) 프로젝트가 이더리움 네트워크에서 실행되고 있습니다. 이더리움의 생태계가 계속해서 확장된다면, 이더리움의 가치도 함께 상승할 것입니다.
- **솔라나**:솔라나는 빠른 속도와 저렴한 수수료가 장점인 블록체인 플랫폼입니다. 솔라나는 NFT(대체 불가능한 토큰)와 게임 분야에서 활발하게 사용되고 있으며, 그 영향력이 점차 커지고 있습니다.
- **폴카닷**:폴카닷은 서로 다른 블록체인을 연결하는 통신 프로토콜입니다. 폴카닷은 웹3.0의 핵심 기술로 주목받고 있으며,

그 가치가 상승할 가능성이 높습니다.

이러한 암호화폐들은 모두 장기적으로 가치가 상승할 가능성이 높다는 전문가들의 의견입니다. 그러나 암호화폐는 여전히 초기 단계에 있는 자산이기 때문에, 투자에 주의해야 합니다.

ONE은 미카법 철저 준비

1. 원에코시스템의 원(ONE)은 미카법에따라 허가와 사업자 라이선스를 받을 준비를 절저하게 진행하고 있다.(CEO)
2. 암호자산의 분류에서 증권형토큰,유틸리티토큰,자산준거토큰,전자화폐토큰 분류 중 원(ONE)은 전자화폐토큰에 해당됨.(CEO)
3면원에코시스템 미카(MiCA)법 라이센스 획득 전망
2023. 5. 16.유럽이사회 승인으로 확정된 유럽연합의 세계 첫 가상자산시장법'미카(MiCA)법'은12개월이 지나면 공식 발효됩니다. 이에 따라2024년6월부터 미카법이 유럽연합에서 시행될 전망입니다.
ONE(OES)전자화폐토큰 발행자 원에코시스템이 미카법에 따른 라이선스를 획득하기 위해서는 유럽중앙은행 및 당국의 인가를 받아야합니다.
4면원에코시스템 미카(MiCA)법 라이센스 획득 전망
2023. 6. 14.한국 컨퍼런스에서 우리의CEO는"원에코시스템이 미카법에 의거 가상자산서비스제공업자(CASP)로서 사업자 라

이선스를 획득할 수 있을까요?"라는 질문에 자신있게"Yes(예)"라고 답변함으로써 원에코시스템은 사업자 라이선스 획득을 위해 오랫동안 미카법의 모든 사항에 맞도록 철저하게 준비하고 있었고,따라서 틀림없이 사업자 라이선스를 받을 수 있을 것임을 우리에게 상기시켜주었다 할 것입니다.

원에코시스템이 사업자 라이선스를 획득하면 전자화폐토큰 ONE(OES)은 비로소 세상 밖으로 나오게 됩니다.

한국 코리아 딜쉐이커 엑스포 킨텍스강의 대본2023년 8월 4일 ONE 경제TV 대박뉴스를 매일 전하는 김일석지점장 입니다. 여러분 설레임이 있으신가요? 가슴이 벅차고 기대감이 크신가요? 네, 맞습니다. 우리 IMA 회원님들！"타오르는열정과 나아가는 실천으로 함께하는 성공을 위해"원에코시스템을 외치면 큰소리로 ONE을 삼창하고 우뢰와 같은 박수와 함성으로 화이팅을외쳐주시기 바랍니다. 선창 : 원에코시스템！여러분 : 원(ONE)！원(ONE)！원(ONE)！박수와 함성, 화이팅！킨텍스 지붕이 날아갈 수 있있도록 외치십시요. 새롭고 놀라운 기다리던 빅 뉴스를 발표했습니다. 인류역사상 가장 위대한 원(ONE)은 지속적인상승과 투명하고 공평하며 가장 안전한원(ONE)으로 만들어졌습니다. 세상을 흔드는 원(ONE)은 금융을 연결시키는금융혁명의 주인공은 원(ONE)뿐입니다. 세상을 바꾸는 단, 하나의 기술은 원에코시스템뿐입니다. 저와 여러분들은 세상의 선구자들 이십니다. 오늘 저에게 주어진 주제는 화폐혁명의 본질, 그리고 암호화폐를 경험하다 입니다. 먼저 화폐혁명의 본질은 돈이 자유를 찾는 것입니다. 그렇다면 왜 ? 화폐혁명이 지금 싯점에서 중요할까요?첫째는 화폐의 변화가 돈의 형태의 변화가 되기때문입니다. 두번째는 부의 이동이 시작되기 때문입니다. 다음은 암호화폐를 경험하면서 깨달은 것은 암호화폐의 본질적 방향은 안정성을 가지고 P2P신용문제를 해결하여미래 지불수단으로 사용되는 것입니다. 그동안비트코인을 비롯한 모든 암호화폐들이 본질적방향을 찾지 못하고지금까지 14년이란 세월이 흘러온 것입니다. 하지만 원(ONE)을 통하여 암호화폐의 방향성을보았고 미래지불수단이 될 수 있겠다는 확신을갖게 된것은 저뿐만의 영감은아닐 것입니다. 비트코인을 사고 팔고하는 거래소 코인들을 보면서 결국 주식처럼, 증권화 되어가는 모습을경험해 오지 않았습니까?결국 암호화폐가 되겠다고 세상에 나왔지만 본질에 맞게 걸어오지 못하고 결국 상품이나 자산의 길을 가고있는 현실을 우리는 경험할 수있었습니다. 진정한 암호화폐의 방향을 모색하지 못하고 방향성을 잃어버린 비트코인을 보고이제는 그 희망을 잃어버렸습니다. 큰 변동성 때문에안정성과는 멀어지고 미래지불수단이 되기위한P2P신용문제를 해결하는 데에는 기술적으로 한계점을 가지고 있습니다. 하지만 우리는 희망을 발견하였습니다. 바로 원(ONE)이 물밑에서 아무도 눈치채지 못하도록네트워크라는 프레임을 씌워 완벽하게 지금까지 준비하여 왔습니다. 그리고 드디어 2023년2월 18일 퍼블릭 블록체인으로 공개를 하였습니다. 이것은 이더리움 ERC 20과 폴리곤 퍼블릭 블록체인에 가장 적합한 원(ONE)의 확장성과 투명성 그리고 안정성을 더욱 강화시킨탁월한 선택을 회사가 결정한 것입니다. 화폐혁명의 본질은 돈의 자유를 누리는 것입니다. 인간이 돈의 자유를 누리기 위해서는 융합기술로 새로운 창조기술을 시스템으로 실현할수 있어야 돈이 자유롭게 흘러갈 수 있는 것입니다. 여기서 디지털 대 전환시기에 우리는 실생활과산업전반에 걸친 디지털화를 경험하고 계실텐데요. 신문이 자취를 감추고 공중전화기도 보이지 않습니다. 식당에 가면 키오스크가 결제를 합니다. 그리고 자동차에 대부분 운전자들이 가지고 다니던 교통지도 책도 사라졌습니다. 이제는 네비게이션보다 스마트폰을 사용하고 있습니다. 불과 20년만에 실생활에서 경험하는 디지털 대전환의 시기를 경험하고 있는 것입니다. 우리 어머니는 마트에서 현금을 받지 않아 체크카드를 만드셨다고 할 정도로 현금을 사용하기도 힘든 세상이 되어가고 있습니다. 그렇다면왜? 화폐혁명의 본질은 4차산업혁명 시기에 중요할까요? 돈이 변화하고 있는데 돈의 형태의변화입니다. 돈은 자유로워지고 싶고 인간의 욕망은 돈으로 부터 자유를 누리고 싶기 때문에 중요한 것입니다. 한마디로 먹고사는 생존의 문제이고 생명을 살리는 문제이기 때문에 너무나도 중요하다는 것입니다. 가치중에 가장 높은 가치는 인간의 생명입니다. 그런데 지금 돈은 자유롭게 흘러가지 못하고막혀있다는 것입니다. 그래서 화폐혁명의 본질은 기술로 시스템적으로 초연결 융합기술을 통하여 세상의 모든 사람들에게 화폐가 흘러갈 수 있도록만들기 위해 산업과 기술이 발전해 오고 있는것입니다. 왜? 화폐 혁명인가 묻는다면 보이는 돈에서 보이지 않는 돈으로 부의 이동이 시작되고 있다는 사실입니다. 돈의 자유를 회복할 수 있는 시스템과 회사는 스위스에 본사를 둔 원에코시스템 전자화폐토큰을 발행하는 세계중앙은행이 될것입니다. 디파이(DeFi)와 세파이(CeFi)를 융합한 최고의 기술을 구현한 미래지불수단은 원에코시스템을통하여 발행되는 원(ONE)이 될것입니다. 처음부터 엄격한 규제를 위해 KYC 신원인증을 블록체인에 탑제하여 AML 자금세탁 방지를 위해스스로 국제 규제를 준수하여 시스템을 구현하여 왔습니다. 그리고 규제를 기다려 왔습니다. 드디어 2023년 6월 9일 유럽연합 미카법이 관보에 게재된날로부터 20일후에 시행하면 2023년 6월 29일시행을 합니다. 한국컨퍼런스에서 원에코시스템CEO는 원에코시스템은 미카법에 적합하며, 인가와 라이선스를 받을 수 있도록 철저하게 준비하여 왔습을 상기시켜주었습니다. 그렇다면 스위스에 본사를 둔 원에코시스템은미카법에 의한 유럽중앙은행 및 당국의 인가를받고 암호자산 서비스 제공자의 사업자 라이선스를 받게 되는 것입니다. 미카법에는 암호자산 종류로 증권형토큰, 유틸리티토큰, 자산준거토큰, 전자화폐토큰의 네가지 종류중에서 원(ONE)은 전자화폐토큰에 해당합니다. 따라서 원에코시스템이 유럽중앙은행 및 당국의 인가를 받으면 전자화폐토큰 보유자는 상환청구권의 권리를 가지게 되는 것입니다. 또한 예탁기관이나 분배기관에서 제3자 부담을명시하고 있습니다. 우리 원(ONE)은 투기가 아닌 규제를 받기위해준비되어왔고 드디어 2024년 미카(MiCA)법에보호를 받으며 세계 80억 인구가 돈의 자유를얻을 수 있는 역사상 가장 위대한 원(ONE)으로출범하는 것입니다. 원(ONE)은 미래지불수단임을 의심할 여지가 전혀 없습니다. 2008년 미국의 금융위기 때에 보란듯이 출현한 비트코인은 화폐혁명을 주도해 왔지만 결국 P2P, 탈중앙화 시스템으로 금융안정의 위협하는 암호자산으로 전통금융과 융합을 이루지 못했습니다. 규제되지 못하는 화폐가 규제되는 화폐를 이길수 없다는 것을 암호화폐 경험을 통해 깨달을수 있었습니다. 자유와 독점화의 싸움은 원(ONE)의 등장으로 멈출 수 있습니다. 인류 역사상 가장 위대한 원(ONE)은 인류의P2P 신용문제를 KYC 신원인증으로 해결하였습니다. 최고의 핀테크 기술로 중앙화 금융과탈중앙화 금융의 단점인 인플레이션 문제와 안정성 문제를 해결할 수 있는 원에코시스템을구현하였습니다. 중앙화 금융과 탈중앙화 금융의 싸움을 멈추고 한계를 극복하고 안정성으로인류가 꿈꾸어 왔던 모든 사람들에게 돈의 자유를 주고 지속 성장 발전을 할 수 있는 새로운 금융시스템 원에코시스템에 원(ONE)을 중심으로 하나의 생태계를 완성해 가고 있는 것입니다. 결론을 맺겠습니다. 화폐혁명의 본질은 인간의욕망은 돈의 자유를 갖도록 자유롭게 흐르는것입니다. 화폐혁명의 본질을 아는 회사와 사람에게 돈은 흘러들어간다는 것은 역사를 통해경험해 왔습니다.이제는 경제위기가 극에 달했습니다. 뉴스에서 사람들이 밥을 먹을때에도 잠을 잘 때에도 대출이자 걱정을 한다고 합니다. 이제는 평범한 시민들이 화폐혁명의 본질을 알고 깨어나고 일어난다는 것입니다. 코로나도 전쟁도 경제위기도 고물가 인플레이션, 고금리로절박하지 않으면 사람들이 깨닫지 못하기 때문에 인재로 만들어졌다는 전문가들의 말도 의미가 있지 않습니까? 하지만 비트코인은 은행의한계점을 혁신하기 위한 방향을 보여주었지만거래소를 통하여 다시 중앙화로 독점화가 되었습니다. 분산화 되지 못하고 다시 인간의 욕망인 화폐의 자유를 주지 못하고 독점화되었습니다.결국 세상 사람들에게 자유롭게 흘러가지 못하고 이미 상품으로 디지털 자산으로 평가하고있습니다. 비트코인은 지불, 결제 수단의 화폐로는 적합하지 않다는 평가를 IMF나 BIS 등세계금융기관에서 발표를 하였습니다. 착한돈 규제되는 돈 인간에게 자유를 주는 돈은 오직 ONE뿐입니다. 인터넷으로 정보를 전송하고 사람을 연결한 3차산업혁명을 이끌어온웹 2.0 시대를 이제는 인류가 꿈꾸어온 형체가없고 수학적 알고리즘으로 가치프로토콜로 블록체인 기술로 가치전송하고 세상의 모든 사람들을 신용으로 연결시키는 웹3.0시대를 열어가는 역사상 가장 위대한 화폐혁명의 주인공은원에코시스템 ONE 뿐입니다. 감사합니다.

금융시장에서 전해진 뜨거운 소식, 비트코인 기반 상장지수펀드 ETF가 공식적으로 승인을 받았습니다.

미국 증권거래위원회SEC가 2024년 1월 10일 가상자산암호화폐 비트코인 현물 ETF상장지수펀드를 승인했습니다.
SEC는 이날 성명을 통해 그레이스케일, 비트와이즈, 해시덱스 등 11개의 비트코인 현물 ETF를 승인했다고 밝혔습니다.

이번 승인은 기관 및 개인 투자자들이 비트코인을 직접 보유하지 않고도 세계 최대 규모의 암호화폐에 투자할 기회를 제공하게 되었습니다. 또 변동성 등을 이유로 당국의 규제 대상이 돼 흔들렸던 암호화폐 업계가 반등할 기회가 될 것이라고 로이터 는 전했습니다.

금융시장의 소식에 따르면, 규제 기관이 최초로 비트코인을 기 반으로 하는 ETF에 대한 승인을 내렸습니다. 이는 가상 화폐가 좀 더 투자가치 있는 자산으로 성장했다는 것을 시사하며, 전통 적인 금융 시스템과의 중요한 다리를 놓는 역할을 할 것으로 예 상됩니다.

ETF란 교환 가능한 증권으로, 특정 지수의 성과를 추적하는 데 에 목적을 둔 투자 자산입니다. 이번에 승인받은 비트코인 ETF 는 기존의 비트코인 투자 옵션과는 달리, 전통적인 증권 거래소 에서 거래가 가능합니다. 이를 통해 일반 투자자들은 복잡한 암 호화폐 거래소를 거치지 않고도 비트코인에 간접적으로 투자 할 수 있게 됐습니다.

비트코인 ETF 승인은 암호화폐 시장에 새로운 유동성과 기관 투자가들을 끌어들일 것으로 기대됩니다. 또한, 이는 비트코인 의 합법성과 신뢰성을 강화할 수 있는 중요한 발판이 될 것으로 예상됩니다. 하지만, 가상 화폐가 가지는 변동성과 관련된 리스 크 또한 여전히 존재합니다. 투자자들은 ETF를 통해 비트코인 에 투자를 하는 경우, 여러 리스크를 이해하고 감안한 결정을 내 려야 할 것입니다.

관련 규제 기관과 전문가들은 안정적인 투자 환경을 조성하기 위해 지속적으로 노력할 것입니다. 이번 비트코인 ETF의 승인은 금융 시장에 새로운 영역을 열었다는 점에서 상당한 의미를 지닙니다. 이것을 시작으로, 우리는 암호화폐가 어떻게 기존의 금융 시스템에 녹아들고 그 영향력을 키워나갈지 면밀히 지켜볼 필요가 있습니다.

결론적으로 암호화폐가 제도권에 진입한 원년은 2024년 1월 10일입니다. 이것은 세계화폐의 출현시간표와 일치하는 순간입니다. 암호화폐 특히 비트코인을 공부해온 저로서는 역사적인 순간을 보면서 인류는 기술의 진화로 다시한번 안정속에 지속적인 성장을 할 수 있는 토대를 마련했다는 평가를 내립니다.

드디어 원은 3월 23일 말레이지아 패낭 세계대회를 통해 원에토 시스템 프로젝트 셋팅을 모두 마치고 6월 30일 미카법 통과를 위한 모든 역량을 집중시킬 명분을 얻게 되었습니다.
비트코인 ETF 승인을 우리모두 축하하시고 기뻐하시기 바랍니다. 비트코인의 걸어온 길을 비슷하게 걸어가고 있는 원이 은행과 정부로 부터 승인을 받는 미카법 통과가 가장 큰 이슈가 될 것임을 확신합니다.

가장 완벽한 미래의 신금융 원에코시스템은 ONE을 지불수단으로 사용하는 플랫폼입니다.
ONE은 8개 거래소와 3개 지갑을 통해 45 달러의 시장가치를 인정받고 있습니다.

ONE/OES 특징

1. 핀테크 최고 혁신 기술의 역작품
2. 절대 인플레이션이 없는 **화폐**
3. 가치변동이 적은 안전한 **화폐**
4. 자체 생태계 **딜쉐이커 쇼핑몰 운영**
5. KYC 실명제 합법적 코인
6. 가장 쉽고 사용이 편리한 **화폐**
7. 해킹 불가능 코인(CeFi)
8. P2P 가능(외환거래 간단)
9. **2024년** 유럽연합 금융 선택
10. 10개 거래소 3개 지갑 **활용**
11. IPO 준비 DS
12. 디지털화폐(가상자산, STO 토큰×)
13. 전 세계인이 사용 가능한 코인 2,500억 개 보유
14. 하이브리드 블록체인-도둑방지 기술
15. 30여 개국 정부 합법판결
16. 핀란드 렉시아 법률사 실사 **합법문서**
17. 중국 7개 성 DS 라이센스 획득
18. 콜럼비아 빅브랜드와 대형 슈퍼마켓 **파트너 체결**
19. 전 세계 온라인교육 프로그램 판매
20. 7개 플랫폼 구성 자체 생태계
21. 인간과 스마트폰 오장 칠부 역활
22. 화폐개혁 불필요

23. 신용 없이도 계좌개설 가능
24. 6대 기축통화가 된다
25. 보이지 않는 돈-4차산업 심볼
26. 세계 최초 **결제**코인 **MiCA법** 허가
27. 지구상 모든 돈과 **호환**
28. DeFi & CeFi 하이브리드 핀테크 ONE

ONE

10년 속에서 피어난 ONE

발행일 ㅣ 2024년 6월 26일

지은이 ㅣ 김일석
펴낸이 ㅣ 마형민
기　획 ㅣ 김안석
편　집 ㅣ 김현주 조도윤
펴낸곳 ㅣ (주)페스트북
주　소 ㅣ 경기도 안양시 안양판교로 20
홈페이지 ㅣ festbook.co.kr

ISBN 979-11-6929-516-1 03320
값 18,000원

* (주)페스트북은 '작가중심주의'를 고수합니다. 누구나 인생의 새로운 챕터를 쓰
도록 돕습니다. Creative@festbook.co.kr로 자신만의 목소리를 보내주세요.